마음을 열어주는 101가지 이야기 **1**

A 2nd Helping of Chicken Soup for the Soul
101 More Stories To Open The Heart And Rekindle The Spirit

by Jack Canfield and Mark Victor Hansen

마음을 열어주는 101가지 이야기 **1**

잭 캔필드 · 마크 빅터 한센
류시화 옮김

이레
도서출판

차례

3. 죽음에 대하여

독자에게

나는 당신을 위해 여기에 있습니다.
당신이 이 세상에서 혼자라고 느끼거나
외롭다고 생각될 때
나를 찾으세요.
당신의 마음이 의심으로 흔들리고
자신감은 먼 기억처럼 사라질 때
내 빛을 발견하세요.
당신의 삶에서 무엇인가 혼란스러울 때
내 지혜에 귀를 기울이세요.
당신의 몸이 아플 때
어머니가 따뜻한 죽을 끓여주시곤 했던 것처럼
당신의 영혼에 생기를 불어넣기 위해
나는 여기에 있습니다.
가족과 사랑에 대한 내 따뜻한 이야기가
당신을 고독한 동굴에서 걸어나오게 할 것입니다.

용기와 참을성에 대한 내 이야기가 당신에게
생의 의지를 갖게 할 것입니다.
내 처방전에는 지혜와 영감을 주는
강한 약제가 포함돼 있습니다.
도전의 산이 앞을 가로막을 때
그 위로 걸어올라가 구름과 별들 사이에 선
용기 있는 사람들이 제공한 약제들입니다.
당신이 생의 유머를 잃었을 때,
그리고 당신의 재능을 세상과 나눌 기회를 잃었을 때
이 약으로 당신의 존재는
새로운 에너지와 기운으로 채워질 것입니다.
진정한 삶을 산 사람들, 인생에 승리한 사람들의 이야기가
당신의 발걸음에 가벼움을 주고
당신의 꿈에 활기를 불어넣을 것입니다.
지혜로운 영혼을 가진 이들의 생각이
당신을 구속하고 있는 두려움을
한순간에 날려 보낼 것입니다.
그리고 무엇보다도 나는 당신에게
미래를 볼 줄 아는 영양제를 줄 것입니다.
기쁨과 행복과 승리,
건강과 충만함과 사랑으로 가득 찬 미래를.

존 웨인 쉴레터

이 책을 엮은이들이 전하는 말

세계는 원자로 이루어진 것이 아니라 이야기들로 이루어
져 있다.

뮤리엘 루키저

우리의 가슴에서 당신의 가슴으로 이 이야기들을 전할 수 있
어서 기쁘다. 당신이 더 많이 사랑하고, 더 많은 열정을 갖고 살
며, 당신의 가슴이 간직한 꿈들을 더 많은 용기를 갖고 추구할
수 있도록 희망과 영감을 불어넣는 이야기가 이 책에는 실려 있
다. 이 이야기들은 좌절과 실패의 시기에 당신을 붙들어 줄 것이
며, 고통과 손실의 시기에 당신을 위로해 줄 것이다. 당신이 필
요로 할 때면 언제나 당신에게 지지와 지혜를 보내 주는 평생의
동반자가 될 것이다.

당신은 이제 멋진 여행을 출발하려 하고 있다. 이 책은 당신이
지금까지 읽은 다른 책들과는 다르다. 때로는 이 책의 내용이 존
재 깊숙한 곳까지 당신을 건드릴 것이다. 때로는 당신을 새로운

차원의 사랑과 기쁨으로 데려갈 것이다. 우리가 처음 이 책을 냈을 때 그것은 너무도 강력해서 앞표지에서 뒷표지까지 완전히 읽지 않은 독자가 없을 정도였다. 우리는 어떻게 이런 일이 가능한지 놀라웠다. 독자들은 사랑의 에너지와 눈물, 영감, 그리고 영혼을 북돋우는 힘들이 그들을 사로잡아 자신들로 하여금 이 이야기들을 계속 읽게 만들었다고 고백하고 있다.

나는 아직 열살밖에 안 됐지만 이 책을 정말 좋아합니다. 내가 이 책을 좋아하는 건 정말 기적입니다. 나는 책 읽는 것을 별로 좋아하지 않지만 지금은 이 책을 읽고 또 읽어요.

라이언 오(4학년)

이 책을 읽는 법

이 책은 한 자리에 앉아서 다 읽을 수도 있다. 그러나 우리는 그것을 권하지 않는다. 시간을 갖고, 좋은 술을 음미하듯이 한 번에 한 모금씩 천천히 음미하기 바란다. 그 한 모금들은 당신에게 따뜻한 열기를 줄 것이며, 설레이는 마음과 빛나는 표정을 줄 것이다. 당신은 각각의 이야기가 당신의 가슴과 마음과 영혼에 각각 다른 방식으로 영향을 준다는 걸 발견할 것이다. 우리는 당신이 이 책을 읽는 일에 완전히 몰입하고 각각의 이야기들에 담긴 의미를 자신의 것으로 만들 수 있도록 충분한 시간을 가질 것을 권한다. 만일 서둘러 이 책을 읽어 버린다면 당신은 그 속에 숨은 더 깊은 의미들을 놓치게 될지도 모른다. 하나하나의 이야기들은 많은 양의 삶의 지혜와 경험을 담고 있다.

이 책이 자신들의 삶에 어떻게 영향을 주었는가를 설명하는 수천 통이 넘는 편지를 독자들로부터 받고서 우리는 이야기야말로 삶을 변화시키는 데 사용할 수 있는 가장 가능성 있는 도구임을 확신하게 되었다. 이야기들은 우리의 무의식에다 대고 곧바로 말을 한다. 그것들은 더 나은 삶을 살기 위한 청사진을 제공한다. 우리가 나날이 겪는 문제들을 위한 실제적인 해결책을 주고, 그것을 행동으로 옮길 수 있도록 창조적인 모델이 되어 준다. 또한 이야기들은 우리의 상처를 치유해 주고 우리에게 자신이 가진 본질의 가장 숭고한 측면을 상기시켜 준다. 그것들은 습관적이고 일상적인 삶으로부터 우리를 들어올려 무한한 가능성을 심어 준다. 그리고 그것들은 우리가 원래 가능하다고 생각했던 것보다 훨씬 더 많은 일을 하고 더 큰 존재가 되도록 영감을 불어넣는다.

다른 이들과 이 이야기들을 나눈다면

당신은 아무도 말해 주지 않은 많은 재산을 갖고 있는지도 모른다. 보석 상자와 금 궤짝을. 하지만 당신은 나처럼 부자가 될 수 없었다. 왜냐하면 나는 나에게 많은 이야기를 들려 준 누군가를 알고 있기 때문에.

신디아 펄 마우스

이 책에 실린 어떤 이야기들은 당신에게 특히 감동적일 것이다. 그래서 당신은 사랑하는 이나 친구에게 그것들을 들려 주고 싶어질 것이다. 어떤 이야기가 진실로 당신의 영혼 깊은 곳에 가 닿았다면 잠시 눈을 감고 자신에게 물어 보라. "지금 이 이야기를 들으면 도움이 될 사람이 누굴까?" 당신이 염려하고 있는 누군가 마음에 떠오를지도 모른다. 시간을 내어 그를 찾아가거나 전화를 해서 그에게 그 이야기를 들려 주라. 당신이 염려하는 누군가와 그 이야기를 나눔으로써 당신은 자신을 위해서도 훨씬 더 깊은 어떤 것을 얻게 될 것이다. 마틴 부버의 다음 말을 생각해 보라.

이야기는 그 자체로 도움이 될 수 있도록 사람들에게 들려줘야 한다. 나의 할아버지는 본래 한쪽 다리가 불구이셨다. 한번은 사람들이 그에게 그의 스승에 대해 말해 달라고 부탁했다. 그러자 할아버지는 그의 스승이 기도중에 어떻게 뜀뛰기를 하며 춤을 추었는가를 설명했다. 할아버지는 말하면서 자리에서 일어났다. 그리고 자신의 이야기에 심취되어 스승이 한 대로 보여 주기 위해 뜀뛰기를 하면서 춤을 추기 시작했다. 그 순간부터 할아버지는 갑자기 다리가 정상으로 돌아왔다. 이야기를 들려 준다는 것은 그런 것이다!

여기 이 이야기들을 직장에서, 교회에서, 절에서, 또는 가정에서 주위 사람들과 함께 나누는 것을 생각하라. 나눈 다음에는 그것들이 어떻게 당신에게 영향을 미쳤으며 왜 당신이 그것들을 그들에게 소개해 주는가를 설명하라. 그리고 무엇보다도 당신 자신의 이야기를 할 수 있도록 이 책의 이야기들로부터 많은 영감을 받으라.

각자 자신의 이야기를 말하고 듣는 것은 서로에게 큰 변화를 가져다 줄 수 있다. 이야기는 우리의 무의식 속에 있는 에너지를 일깨워 우리를 치료하고, 통합시키고, 표현하고, 성장시켜 주는 강력한 도구다. 수천 명의 독자가 우리가 모은 이 이야기들이 어떻게 닫혀 있던 감정의 수문을 열었으며 가정이나 그룹에서 진정한 나눔의 계기가 되어 주었나를 말했다. 이 책을 읽고 나서 가족 구성원들은 자신들 삶의 중요한 경험들을 기억해 서로에게 들려주기 시작했다. 또한 이 책은 사람들을 저녁 식탁으로, 가족 간의 만남으로, 교실로, 자원봉사대로, 교회 동료로, 그리고 일터로 불러모으기 시작했다.

> 서로를 치료하기 위해 우리가 할 수 있는 가장 가치 있는
> 일은 서로의 이야기에 귀를 기울여 주는 일이다.
>
> *레베카 폴즈*

펜실베니아의 한 교사는 초등학교 5학년 학생들에게 이 책처럼 자신들의 삶에서 체험한 감동적인 이야기들을 적어내도록 했다. 일단 이야기들이 모이자 그것은 책으로 엮어지고 복사되어 사람들 사이에서 읽히기 시작했다. 그것은 학생들과 그들의 부모에게 심오한 영향을 미쳤다.

〈포춘〉지가 선정한 5백대 기업체 중의 한 회사의 이사는 일년 동안 이 책에 나오는 이야기들을 갖고 모든 직원회의를 시작했다고 말했다.

정치인, 성직자, 정신과의사, 상담원, 훈련사, 그리고 자원봉사대의 대원들은 자신들의 강연과 설교와 상담을 이 책에 나오는 이야기들로 시작하곤 한다. 우리는 당신 역시 그렇게 하기를

권한다. 사람들은 영혼을 위한 영양가 있는 음식에 배고파하고 있다. 이 이야기들은 그토록 적은 시간을 들이고도 그토록 오래 가는 효과를 가져다 줄 수 있다.

우리는 또한 당신 자신의 이야기를 주위 사람들에게 들려 줄 것을 권한다. 사람들은 당신의 이야기를 들을 필요가 있는지도 모른다. 이 책에서도 몇 편의 이야기가 지적하고 있듯이 그것은 어쩌면 당신도 모르는 사이에 다른 어떤 사람의 생명을 건질지 도 모른다.

때로 우리의 불이 깜박거리며 꺼져가도 그것은 다른 인간 존재에 의해서 다시 지펴진다. 우리들 각자의 불은 그것을 다시 지펴 주는 사람들에게 큰 빚을 지고 있다.

알버트 슈바이처

이 책을 엮은 우리들 자신에게도 지난 여러 해 동안 우리의 불을 다시 지펴 준 많은 이들이 있었다. 우리는 그들에게 깊은 감사를 드린다. 이제 작은 방식이나마 우리가 당신의 불을 다시 지피고 그곳에 바람을 보내 더 큰 불꽃으로 만들 수 있기를 희망한다. 만일 그렇게 된다면 우리는 성공한 것이다.

우리는 이 책에 대한 당신의 반응을 듣고 싶다. 이 이야기들이 당신에게 어떤 영향을 주었는가를 우리에게 말해 달라. 우리는 또한 당신이 우리가 하는 작업의 일원이 되기를 초대한다. 우리에게 다음 번 책에 넣었으면 좋겠다고 생각하는 이야기나 시들을 보내 달라. 책의 마지막에 우리의 주소가 적혀 있을 것이다.

당신으로부터 연락이 있기를 기대한다. 그럼 그때까지, 우리가
이 책을 엮고 편집하면서 누린 즐거움을 당신 역시 경험하기를
바란다.

잭 캔필드
마크 빅터 한센

1

사랑에 대하여

삶은 하나의 노래 --- 그것을 노래 부르라.
삶은 하나의 놀이 --- 그것을 즐기라.
삶은 하나의 도전 --- 그것과 마주하라.
삶은 하나의 꿈 --- 그것을 실현하라.
삶은 하나의 희생 --- 그것을 제공하라.
삶은 곧 사랑 --- 그것을 나누라.

사이 바바

서커스

내가 십대였을 때의 일이다. 어느날 나는 아버지와 함께 서커스를 구경하기 위해 매표소 앞에 줄을 서 있었다. 표를 산 사람들이 차례로 서커스장 안으로 들어가고, 마침내 매표소와 우리 사이에는 한 가족만이 남았다. 그 가족은 무척 인상적이었다. 열두살 이하의 아이들이 무려 여덟 명이나 되는 대식구였다.

분명히 말할 수 있는 것은 그들이 결코 부자가 아니라는 사실이었다. 하지만 그들이 입고 있는 옷은 비싸진 않아도 깨끗했고, 아이들의 행동에는 기품이 있었다. 아이들은 둘씩 짝을 지어 부모 뒤에 손을 잡고 서 있었다. 아이들은 그날 밤 구경하게 될 어릿광대와 코끼리, 그리고 온갖 곡예들에 대해 흥분한 목소리로 이야기를 나누었다. 그들이 전에는 한번도 서커스를 구경한 적이 없다는 것을 알 수 있었다. 그날 밤은 그들의 어린 시절에 결코 잊지 못할 추억이 될 것이 틀림없었다.

아이들의 아버지와 어머니는 자랑스런 얼굴로 맨 앞줄에 서 있었다. 아내는 남편의 손을 잡고 자랑스럽게 남편을 쳐다보았다. 그 표정은 이렇게 말하는 듯했다.

"당신은 정말 멋진 가장이에요."

남편도 미소를 보내며 아내를 바라보았다. 그의 시선은 이렇게 말하고 있었다.

"당신 역시 훌륭한 여성이오."

이때 매표소의 여직원이 남자에게 몇 장의 표를 원하냐고 물었다. 남자는 목소리에 힘을 주어 자랑하듯이 말했다.

"우리 온 가족이 서커스 구경을 할 수 있도록 어린이표 여덟 장과 어른표 두 장을 주시오."

여직원이 입장료를 말했다. 그 순간 아이들의 어머니는 잡고 있던 남편의 손을 놓고 고개를 떨구었다. 남자의 입술이 가늘게 떨렸다. 남자는 매표소 창구에 몸을 숙이고 다시 물었다.

"방금 얼마라고 했소?"

매표소 여직원이 다시 금액을 말했다. 남자는 그만큼의 돈을 갖고 있지 않은 게 분명했다. 그러나 이제 와서 어떻게 아이들에게 그 사실을 말할 것인가. 한껏 기대에 부푼 아이들에게 이제 와서 서커스를 구경할 돈이 모자란다고 말할 순 없는 일이었다.

이때였다. 상황을 지켜보고 있던 나의 아버지가 말없이 주머니에 손을 넣더니 20달러짜리 지폐를 꺼내 바닥에 떨어뜨렸다. 그런 다음 아버지는 몸을 굽혀 그것을 다시 주워 들더니 앞에 서 있는 남자의 어깨를 두드리며 말했다.

"여보시오, 선생. 방금 당신의 호주머니에서 이것이 떨어졌소."

남자는 무슨 영문인지 금방 알아차렸다. 그는 결코 남의 적선을 요구하지 않았지만 절망적이고 당혹스런 그 상황에서 아버지가 내밀어 준 도움의 손길은 실로 큰 의미를 가진 것이었다. 남자는 아버지의 눈을 똑바로 쳐다보더니 아버지의 손을 잡았다. 그리고 20달러 지폐를 꼭 움켜잡으며 떨리는 목소리로 말했다.

"고맙소, 선생. 이것은 나와 내 가족에게 정말로 큰 선물이 될 것이오."

남자의 눈에서는 눈물이 글썽거렸다. 그들은 곧 표를 사갖고 서커스장 안으로 들어갔다. 나와 아버지는 차를 타고 집으로 돌아와야 했다. 그 당시 우리집 역시 전혀 부자가 아니었던 것이다. 우리는 그날 밤 서커스 구경을 못 했지만 마음은 결코 허전하지 않았다.

댄 클라크

신발 한 짝

막 출발하려는 기차에 간디가 올라탔다. 그 순간 그의 신발 한 짝이 벗겨져 플랫홈 바닥에 떨어졌다. 기차가 이미 움직이고 있었기 때문에 간디는 그 신발을 주울 수가 없었다. 그러자 간디는 얼른 나머지 신발 한 짝을 벗어 그 옆에 떨어뜨렸다. 함께 동행하던 사람들은 간디의 그런 행동에 놀라지 않을 수 없었다. 이유를 묻는 한 승객의 질문에 간디는 미소를 지으며 말했다.

"어떤 가난한 사람이 바닥에 떨어진 신발 한 짝을 주웠다고 상상해 보십시오. 그에게는 그것이 아무런 쓸모가 없을 겁니다. 하지만 이제는 나머지 한 짝마저 갖게 되지 않았습니까?"

〈작은 갈색 일화집〉에서

한스가 구조한 사람

　몇 해 전 네덜란드의 작은 바닷가 마을에서 있었던 일이다. 한 소년이 헌신적인 자기 희생을 통해 그것이 가져다 주는 큰 보상에 대해 세상을 일깨운 사건이 있었다. 그 마을은 주민 모두가 물고기를 잡아서 생계를 잇고 있었기 때문에 긴급 상황에 대비한 자원 구조대가 필요했다. 어느날 밤의 일이었다. 바람이 거세게 불고 구름이 밀려오더니 곧이어 사나운 폭풍이 고기잡이배 한 척을 에워쌌다. 위험에 처한 선원들은 급히 구조 신호를 타전했다. 구조대 대장이 경보 신호를 울리자 주민 모두가 바닷가 마을 광장에 모였다. 구조대가 노를 저어 거센 파도와 싸우며 앞으로 나아가는 동안 주민들은 랜턴으로 바다를 비추며 해변에서 초조하게 기다렸다.

　한 시간 뒤, 안개를 헤치고 구조대원들의 배가 돌아왔다. 주민들은 환성을 지르며 그들에게로 달려갔다. 지친 구조대원들은 모래사장에 쓰러지며 주민들에게 보고했다. 인원이 넘쳐 더 이상 구조선에 태울 수 없었기 때문에 어쩔 수 없이 한 남자를 뒤에 남겨 둬야 했다는 것이었다. 한 명을 더 태우면 구조선까지 파도에 휩쓸려 모두 생명을 잃고 말았으리라는 것이었다.

구조대 대장은 애가 타서 그 외로운 생존자를 구하기 위한 다른 자원 봉사자를 찾았다. 이때 열여섯살 먹은 한스가 앞으로 걸어나왔다. 한스의 어머니는 한스의 팔을 잡으며 애원했다.

"제발 가지 마라. 네 아버지도 10년 전에 배가 난파되어 죽었지 않니. 네 형 파울도 며칠 전에 바다에서 실종이 됐구. 내게 남은 것은 한스 너뿐이다."

한스가 말했다.

"어머니, 전 가야만 해요. 모두가 '난 갈 수 없어. 다른 사람이 이 일을 해야만 해.' 하고 말한다면 어떻게 되겠어요? 어머니, 이번에는 제가 나서야 해요. 남을 위해 자신을 희생하라는 부름이 왔을 때는 누구든지 그렇게 해야만 해요."

한스는 어머니를 포옹하고 나서 구조대에 합류했다. 그리고는 어둠 속으로 사라졌다.

다시 한 시간이 지났다. 한스의 어머니에게는 영원처럼 길게 느껴지는 시간이었다. 마침내 구조원들이 탄 배가 다시 안개를 뚫고 돌아왔다. 뱃머리에는 한스가 서 있었다. 손으로 나팔을 만들어 마을 사람들이 소리쳐 물었다.

"실종자를 구조했나?"

지친 몸을 가누면서 한스가 흥분한 목소리로 소리쳤다.

"네, 구조했어요. 저의 엄마에게 말씀해 주세요. 실종자가 바로 우리 형 파울이었다구요!"

댄 클라크

구할 만한 가치가 있는 삶

한 남자가 위험한 파도 속을 헤엄쳐 가서 바다에 빠진 한 소년을 구조했다. 얼마 후, 의식을 되찾은 소년이 자기를 구해 준 남자에게 말했다.

"제 생명을 구해 주셔서 고맙습니다."

남자는 소년의 눈을 들여다보면서 말했다.

"괜찮다, 꼬마야. 다만 너의 생명이 구조할 만한 가치가 있는 것이었다는 것을 앞으로 너의 인생에서 증명해 보이거라."

작자 미상
브라이언 카바노프의 〈씨 뿌리는 사람의 더 많은 씨앗〉에서

이백번째의 포옹

사랑은 사람들을 치료해 준다. 사랑을 주는 사람과 받는
사람 모두를.

칼 메닝거

아버지의 얼굴은 황달에 걸린 사람처럼 노란색이었다. 아버지
는 외부로부터 철저히 차단된 병실에서 정맥 주사관들과 모니터
들에 연결되어 누워 있었다. 한때는 체격이 건장했는데 지금은
15킬로그램이나 체중이 빠진 상태였다.

아버지의 병은 췌장암으로 판명되었다. 그중에서도 가장 악성
이었다. 의사들은 최선을 다하고는 있지만 아버지가 앞으로 석
달에서 여섯 달까지밖에 살 수 없다고 말했다. 췌장암은 방사능
치료나 화학요법으로도 소용이 없기 때문에 의사들은 별다른 희
망을 걸지 않았다.

며칠 뒤 아버지가 병원 침대에 앉아 있을 때 나는 아버지에게
다가가서 말했다.

"아버지, 아버지께서 겪고 계시는 고통에 대해 저 또한 깊이 느끼고 있어요. 아버지의 병은 그동안 아버지께 거리를 두었던 제 자신을 돌아보게 만들었고, 제가 진정으로 아버지를 사랑하고 있다는 걸 느끼게 했어요."

나는 몸을 기울여 아버지를 껴안았다. 그러나 아버지의 어깨와 두 팔은 잔뜩 긴장한 채 굳어 있었다.

"그러지 마세요, 아버지. 아버지를 진정으로 껴안고 싶어요."

그 순간 아버지는 큰 충격을 받은 것처럼 보였다. 아버지와 나와의 관계에서 애정을 표시하는 것은 극히 드문 일이었기 때문이다. 하지만 나는 아버지에게 내가 껴안을 수 있도록 좀더 앉아 있어 줄 것을 부탁했다.

나는 다시 한번 시도했다. 그러나 아버지는 앞서보다 더욱 긴장했다. 나는 전에 느꼈던 분노의 감정이 내 안에서 다시금 자리잡는 것을 느낄 수 있었다. 이런 생각마저 들기 시작했다.

"난 이렇게 할 필요가 없어. 아버지가 나에 대해 차가운 감정을 가진 채 세상을 떠나길 원한다면 그렇게 내버려 둘 수밖에 없지."

여러 해 동안 나는 고지식함과 완고함을 이유로 아버지를 비난하고 아버지에게 분노의 감정을 표시해 왔었다. 그리고 나 자신에게 이렇게 말하곤 했다.

"아버지는 나에 대해 아무 관심도 없고 내가 어떻게 되든 상관하지 않아."

하지만 이번에는 다시 한번 생각하기로 했다. 아버지를 껴안아 드리는 것이 아버지뿐만 아니라 나 자신을 위해서도 필요한 일임을 나는 느끼고 있었다. 아버지를 내 안에 받아들이는 것이 무척 힘든 일이긴 하지만 내가 얼마나 아버지를 걱정하고 있는 가를 표현하고 싶었다. 아버지는 항상 독일식이었고 당신의 의무에만 충실하셨다. 어린시절부터 아버지의 부모님은 아버지에게 남자가 되기 위해서는 모든 감정을 억제해야 한다고 가르친 것이 틀림없었다.

아버지와 나 사이에 이토록 거리가 생긴 것에 대해 나는 늘 아버지를 비난해 왔다. 그러나 지금 나는 과거의 감정을 잊고 아버지를 더 많이 사랑해 드리는 일에 도전하고 있었다. 나는 말했다.

"좀더 가까이 오세요, 아버지. 팔을 저에게 둘러 보세요."

나는 침대 끝머리에 앉아 아버지가 나에게 팔을 두를 수 있도록 몸을 숙였다.

"이제 꼭 껴안아 보세요. 바로 그거예요. 다시 한번 껴안아 보세요. 잘 하셨어요!"

어떤 의미에서 나는 아버지에게 최초로 껴안는 법을 가르치고 있는 것이나 다름없었다. 그런데 아버지가 나를 껴안는 순간 어떤 굉장한 일이 일어났다. "저는 아버지를 정말로 사랑해요." 하는 감정이 내 안에서 파도처럼 밀려왔다. 지난 여러 해 동안 우리는 늘 차갑고 형식적인 악수를 주고받으며 "잘 지내시죠?" "그래. 너도 잘 지내지?" 하고 인사를 나누곤 했었다. 그것이 전부였다. 하지만 지금 아버지와 나 사이에는 순간적으로 강한 친밀감 같은 것이 일어나고 있었다. 그러나 사랑의 감정을 충분히 느끼기도 전에 아직도 어떤 무언가가 아버지의 상체를 긴장되게 만들었고, 이내 우리의 포옹은 어색하고 낯선 것이 되고 말았다.

아버지가 그 긴장된 자세를 버리는 데는 그로부터 몇 달이 걸렸다. 아버지를 찾아갈 때마다 나는 포기하지 않고 매번 포옹을 시도했다. 그러자 아버지도 차츰 자신의 감정을 실어 두 팔로 나를 껴안기 시작했다. 나는 그것을 점점 강하게 느낄 수 있었다.

내가 수없이 아버지를 껴안는 시도를 한 끝에 마침내 아버지가 먼저 나를 껴안기 시작했다. 나는 아버지를 비난하는 것이 아니라 아버지를 도와 드리고 싶었다. 결국 아버지는 평생에 걸친 습관을 바꾸기 시작했다. 물론 거기에는 시간이 걸렸다. 나는 우리가 잘 해나가고 있음을 알았다. 왜냐하면 우리는 점점 더 애정과 염려 속에서 서로를 바라보고 있었기 때문이다. 이백번째의 포옹이 있은 다음에 아버지는 스스로 이렇게 말씀하셨다.

"얘야, 널 사랑한다."

그것은 내가 기억하기에 아버지에게서 들은 최초의 애정 표현이었다.

의학박사 해롤드 H. 블룸필드

어머니와 딸기 위스키

어머니는 딸기 위스키를 무척 좋아하셨다. 나는 언제나 예고 없이 들러 어머니가 좋아하시는 위스키를 선물해 어머니를 놀래켜 드리곤 했다.

말년에 어머니와 아버지는 두 분 다 노인을 위한 라이프 케어 (종신 의료 서비스가 있는 맨션) 센터에서 생활하셨다. 부분적으로는 어머니의 알츠하이머 병에서 받는 스트레스 때문이기도 했지만, 아버지 역시 병을 얻어 더 이상 어머니를 돌볼 수가 없으셨다. 두 분은 떨어진 방에서 따로 생활했지만 여전히 가능한 한 늘 함께 하셨다. 두 분은 서로를 너무나 사랑하셨다. 머리가 희끗희끗한 두 연인은 다정하게 손을 잡고 다른 노인분들의 방을 방문하면서 복도를 거닐곤 하셨다. 두 분은 라이프 케어 센터의 소문난 '연인' 이셨다.

어머니의 상태가 나빠지고 있음을 알고 나서 나는 어머니에게 감사의 편지를 썼다. 나는 어머니에게 내가 얼마나 어머니를 사랑하는지 말씀드렸다. 그리고 내가 자랄 때 매사에 너무 고집을 부려 걱정을 끼쳐 드린 것에 대해 사과를 했다. 나는 어머니가 정말 훌륭한 어머니셨으며 어머니의 아들인 것이 자랑스럽다고 말했다. 오랫동안 말하고 싶었지만 너무 고집센 나머지 말하지 못했던 사랑의 감정들을 전하고자 시도한 것이다. 나는 문득 어머니가 이제는 사랑이라는 단어를 이해할 만한 정신적 상태가 아닐지도 모른다는 사실을 깨달았다. 나는 편지에다 사랑에 대해, 그리고 인생의 완성에 대해 내가 할 수 있는 한 최선을 다해 설명을 했다. 그후 아버지는 어머니가 그 편지를 읽고 또 읽으면서 많은 시간을 보낸다고 말씀하셨다.

어느날부턴가 어머니는 내가 당신의 아들이라는 것을 더 이상 알아보지 못하셨다. 나는 너무도 마음이 아팠다. 어머니는 내가 찾아가면 이야기를 나누다 말고 종종 이렇게 묻곤 하셨다.

"그런데 댁의 이름이 뭐유?"

나는 이름이 래리이며 어머니의 자랑스런 아들이라고 대답하곤 했다. 그러면 어머니는 미소를 지으며 내 손을 잡으셨다. 아, 그 특별한 감촉의 손길을 다시 한번 만질 수만 있다면!

한번은 근처의 위스키 가게에 들러 어머니와 아버지를 위해 각각 위스키 한 병씩을 샀다. 나는 먼저 어머니 방에 들러 다시 한번 나를 소개한 뒤 위스키를 선물하고 몇 분간 이야기를 나누었다. 그리고 나머지 한 병을 들고 아버지의 방으로 갔다.

내가 다시 돌아왔을 때쯤 어머니는 이미 그 위스키 한 병을 다 비우신 뒤였다. 어머니는 침대에 누워 쉬고 계셨다. 잠드신 것은 아닌 것 같았다. 내가 방으로 들어가자 어머니는 나를 쳐다보셨다. 우리는 둘 다 미소를 지었다.

아무 말 없이 나는 침대 곁으로 의자를 끌고 가서 어머니의 손을 잡았다. 손을 잡는 순간 나는 그것이 신비한 느낌을 주는 접촉이라는 것을 알았다. 나는 무언중에 내 사랑의 감정을 어머니에게 확인시켰다. 침묵 속에서 나는 우리 두 사람의 무조건적인 사랑을 느낄 수 있었다. 그것은 마술과도 같은 것이었다. 비록 어머니께서 당신이 지금 잡고 있는 손이 누구의 손인지 분명히 깨닫고 계시진 못할지라도.

10분이 지났을 때 나는 어머니의 손가락이 내 손등을 두드리는 것을 느꼈다. 어머니는 세 번에 걸쳐 내 손등을 두드리셨다. 짧은 순간의 행동이었지만 나는 어머니가 무언중에 나에게 말하려고 하는 것이 무엇인가를 알 수 있었다. 상황을 초월한 사랑의 기적이 신의 무한한 능력과 우리들 자신의 상상력 위에서 빛을 발하고 있었다.

나는 믿어지지가 않았다. 어머니는 이제 더 이상 예전처럼 당신 자신 속의 생각들을 표현할 수 없게 되었지만 우리에겐 말이 필요치 않았다. 마치 어머니가 잠시 동안 정상으로 되돌아오신 것만 같았다.

손등을 두드리는 그 특별한 방식은 여러 해 전에 어머니께서 생각해 낸 것이었다. 어머니는 아버지와 함께 교회 예배에 참석할 때면 아버지에게 사랑한다는 말 대신에 그 방법을 썼던 것이다. 그러면 아버지께서도 그것에 대한 응답으로 어머니의 손을 두 번 두드리셨다.

나는 아버지가 하셨던 것처럼 두 번 어머니의 손등을 두드렸다. 내 반응에 어머니는 내 쪽으로 고개를 돌리며 미소를 지으셨다. 그 미소를 나는 영원히 잊을 수 없다. 그 순간 어머니의 얼굴은 사랑의 빛으로 가득했다.

아버지와 우리 가족, 그리고 셀 수 없이 많은 친구들에 대한 어머니의 조건 없는 사랑을 나는 기억한다. 어머니의 사랑은 지금까지도 내 삶에 깊은 영향을 주고 있다.

다시 10분이 흘렀다. 우리 두 사람 중 누구도 말을 하지 않았다. 그때 갑자기 어머니가 내게로 시선을 돌리더니 나즈막히 말씀하셨다.

"누군가 너를 사랑하는 사람이 있다는 것은 중요한 일이란다."

내 눈에선 나도 모르게 눈물이 흘러내렸다. 그것은 기쁨의 눈물이었다. 나는 부드럽게 어머니를 껴안았다. 그리고 내가 얼마나 어머니를 사랑하는지 말했다.

얼마 후 어머니는 세상을 떠나셨다.

그날 어머니와 나 사이에는 많은 말이 오가지 않았다. 그러나 어머니가 하신 그 말씀은 황금과도 같은 소중한 말이었다. 나는 언제나 그 특별한 순간을 기억하리라.

래리 제임스

나는 신세대를 걱정하지 않는다

　강연을 하기 위해 비행기를 타고 이곳저곳을 여행하다 보면 가끔 꽤나 수다스런 승객이 옆자리에 앉게 되는 경우가 있다. 장거리 여행에서는 다들 그런 만남을 귀찮게 여기겠지만 나는 조금 다르다. 나에게는 그것이 꼭 싫은 경험만은 아니다. 왜냐하면 나는 사람을 관찰하는 습관적인 병을 갖고 있기 때문이다. 날마다 내가 만나는 많은 사람들을 관찰하고 그들이 하는 얘기에 귀를 기울이는 것이 나로서는 즐겁기도 하고 의미 있는 일이기도 하다. 그것을 통해 나는 예기치 않았던 여러 가지 사실들을 알고 교훈을 얻기도 한다. 나는 그동안 많은 사람들로부터 슬픈 이야기, 기쁜 이야기, 두려움과 환희로 채워진 이야기들을 들었다. 누가 뭐래도 그 이야기들은 유명한 텔레비전 토크쇼에 등장하는 화제들에 조금도 뒤지지 않는 것들이었다.

　그러나 나 역시 그다지 즐겁지 않은 만남이 있다. 세상에 대한 자신의 불만을 터뜨리거나 정치적인 견해를 주장하는 사람과 장시간 옆자리에 앉아 여행을 하는 경우가 그것이다. 그렇게 되면

600마일을 비행하는 동안 꼼짝없이 붙어 앉아 그의 성실한 청중이 돼 줘야만 한다. 그날도 그런 날 중의 하나였다. 옆자리에 앉은 50대 백인 남자는 비행기가 이륙하자마자 상투적인 주제를 갖고 세상의 불행한 사태에 대해 긴 논설을 펴 나가기 시작했다. 나는 아예 포기하고 잠자코 그의 주장을 들어 줄 수밖에 없었다.

"요즘 세상의 젊은 것들이란……."

그는 십대를 포함한 모든 젊은이들의 비뚤어진 행동 방식에 대해 사정없이 비난을 퍼붓기 시작했다. 그것도 막연한 증거를 갖고 모든 청소년의 잘못되고 타락한 행태를 집중공격했다. 그의 주장은 다분히 텔레비전 아홉시 뉴스에서 본 편파적인 내용들에 바탕을 둔 것이라 말할 수 있었다.

마침내 비행기가 인디아나폴리스 공항에 도착하자 나는 곧장 호텔로 향했다. 나는 지역 신문을 하나 사들고 저녁을 먹기 위해 호텔 식당에 들어갔다. 주문한 음식이 나오길 기다리면서 무심코 신문을 펼쳐 들었을 때였다. 신문 안쪽 페이지에 사진과 함께 작은 토막기사 하나가 눈에 띄었다. 내용을 읽어 보니 내가 판단하기에 그것은 토막기사 정도가 아니라 당연히 일면 톱뉴스로 실렸어야 마땅할 매우 중요한 기사였다.

인디아나 주의 작은 마을에서 일어난 일이다. 15세의 소년이 뇌종양으로 고통받고 있었다. 소년은 계속해서 방사능 치료와 화학요법을 받았다. 그 결과 소년은 머리카락이 모두 빠지고 말았다. 당신은 어떨지 모르지만, 내가 그 나이에 그렇게 됐다면 나는 남의 시선 때문에 창피해서 학교를 제대로 다니지 못했을 것이다.

이때 소년의 같은 반 친구들이 자발적으로 그를 돕기 위해 나섰다. 모든 학생들은 자기들도 삭발을 하게 해달라고 자신들의 부모에게 부탁했다. 뇌종양을 앓고 있는 브라이언만이 학교 전체에서 유일하게 머리카락이 없는 학생이 되지 않도록 하기 위해서였다. 신문의 그 난에는 가족들이 자랑스럽게 지켜보고 있는 가운데 아들의 머리를 삭발하고 있는 어머니의 사진이 실려 있었다. 그리고 그 뒷배경에는 똑같은 모습으로 삭발을 한 수많은 학생들이 서 있었다.

아니다. 누가 뭐라고 하든 나는 결코 오늘날의 신세대에 대해 절망하지 않는다.

교육학박사 하녹 매카시

니키

두려움과 진정으로 맞서 싸울 때 당신은 힘과 경험과 자신감을 얻는다. 당신은 당신이 할 수 없다고 생각하는 그 일을 해야만 한다.

엘리노어 루즈벨트

그 숙녀의 이름은 니키다. 그녀는 우리집이 있는 길 아래쪽에 산다. 나는 지난 수년 동안 이 어린 숙녀에게서 인생의 많은 교훈을 얻었다. 그녀의 이야기는 나뿐 아니라 많은 사람을 감동시켰으며, 삶에서 힘들 때마다 나는 그녀가 가진 용기에 대해 생각하곤 한다.

불행은 그녀가 중학교 1학년일 때 의사의 진단과 함께 시작되었다. 그녀의 가족이 염려하던 것이 현실로 나타났다. 의사의 진단은 백혈병이었다. 그후 수개월 동안 니키는 정기적으로 병원을 다녔다. 수백번도 넘는 검사와 주사와 채혈이 이어졌다. 그 다음에는 화학요법이 뒤따랐다. 그것으로 인해 생명은 연장할 수 있었지만 니키는 머리카락을 잃기 시작했다. 불과 중학교 1학년밖에 되지 않았는데 머리카락이 빠진다는 것은 너무도 비참한 일이다. 그것도 사춘기에 접어들기 시작한 여학생이! 한번 빠진 머리카락은 다시는 자라지 않았다. 식구들은 걱정을 하기 시작했다.

2학년이 되기 전 여름에 니키는 가발을 샀다. 가발은 불편하고 머리에 상처까지 주었지만 니키는 그것을 쓰고 다녔다. 니키는 학교 안에서 매우 유명한 학생이었다. 수많은 학생들이 니키를 좋아했었다. 그녀는 치어 리더였고, 항상 친구들에 둘러싸여 있었다. 그러나 이제 상황이 달라졌다. 가발을 쓴 그녀는 아무래도 이상하게 보일 수밖에 없었다. 아이들이 어떤지 당신도 잘 알 것이다. 어쩌면 우리들도 마찬가지로 행동했을 것이라는 생각이 든다. 때로 우리는 불행에 처한 누군가를 놀리고 장난을 친다. 그러면서 묘한 쾌감을 느낀다. 그것이 당사자에게는 말할 수 없이 큰 고통인 줄 알면서도 말이다.

2학년이 되고 나서 처음 이주일 동안 아이들은 뒤에서 열번도 넘게 니키의 가발을 벗기며 장난을 쳤다. 당황한 니키는 몸을 숙여 두려움에 떨면서 가발을 다시 쓰곤 했다. 그리고는 눈물을 닦으며 교실로 들어갔다. 아무도 그녀의 편이 되어 주지 않는 이유를 니키는 알 수가 없었다.

이런 상황이 보름 동안 고통스럽게 계속되었다. 마침내 니키는 더 이상 참을 수 없다고 부모에게 말했다. 부모는 니키에게 말했다.

"학교에 가기 싫으면 집에 있거라."

생각해 보라. 중학교 2학년인 당신의 딸이 지금 백혈병으로 죽어가고 있다면 3학년으로 진급하는 것이 무슨 의미가 있겠는가. 그 아이에게 조금이라도 행복과 마음의 평화를 주는 것이 오히려 중요한 일이다. 니키는 어느날 나에게 말했다.

"머리가 빠지는 것은 아무것도 아녜요. 그건 참을 수 있어요."

그녀는 심지어 인생이 끝나는 것까지도 자신에게는 중요한 게 아니라고 했다.

"그것 역시 난 참을 수 있어요. 하지만 친구를 잃는 것이 어떤 건지 아세요? 내가 복도를 걸어가면 마치 모세가 바다를 가르듯이 아이들이 양쪽으로 갈라진다고 상상해 보세요. 내가 다가오고 있다는 그 사실 때문에 말예요. 또 모두가 좋아하는 피자가 나오는 날 학교 식당으로 들어가면 나 때문에 아이들은 반쯤 먹다 말고 자리를 뜨죠. 그들은 더 이상 배가 고프지 않다고 말해요. 하지만 사실은 내가 같은 테이블에 앉으니까 달아나는 것뿐이에요. 수학시간에는 아무도 내 옆자리에 앉으려 하지 않고, 내가 쓰는 학교 사물함의 왼쪽 오른쪽 칸은 늘 비어 있어요. 가발을 쓴 이상한 여자애, 기이한 병을 앓고 있는 애와 나란히 사물함을 쓰기 싫다는 이유 때문에 아이들은 다른 애의 사물함에다 책을 포개 놓죠. 내 병이 전염성이 있는 것도 아닌데 말예요. 그런데 내가 가장 필요로 하는 것이 친구라는 사실을 아이들은 모르는 걸까요? 하나님을 믿는다면 영원한 삶이 무엇이라는 걸 알기 때문에 난 죽는 게 두렵진 않아요. 머리칼이 빠지는 것도 아무것도 아녜요. 하지만 친구를 잃는다는 건 정말 견딜 수 없는 일이에요."

니키는 학교를 가지 않고 집에만 있을 생각이었다. 그런데 주말이 됐을 때 어떤 변화가 찾아왔다. 니키는 우연히 초등학교 6학년과 중학교 1학년인 두 소년에 대해 듣게 되었다. 그들의 이야기가 니키에게 큰 용기를 주었다. 중학교 1학년인 소년은 알칸사스 주에 살고 있는데 학교에 갈 때 호주머니 속에 작은 신약성경을 넣고 다녔다. 어느날 세 명의 소년이 다가와 성경책을 움켜잡으며 말했다.

"너 계집애지? 종교는 계집애들이나 관심 갖는 거야. 기도는 계집애들이나 하는 거라구. 다시는 이 성경책을 학교에 갖고 오지 마."

그러자 소년은 그 중 가장 등치가 큰 애에게 성경책을 건네 주며 말했다.

"너라면 단 하루라도 이 성경책을 들고 학교를 다닐 수 있겠어? 어디 그럴 만한 용기가 있는지 보여 줘."

그 결과 소년은 세 명의 친구를 갖게 되었다.

니키에게 용기를 준 그 다음 이야기는 오하이오에 사는 초등학교 6학년의 지미 마스터디노라는 소년이었다. 지미는 캘리포니아 주의 공식 표어가 '유레카!'(아르키메데스가 왕관의 순금도를 재는 방법을 발견했을 때 지른 소리. '알았다!'는 뜻)라는 사실을 알았다. 그리고 자신이 사는 오하이오 주가 아무런 공식 표어도 갖고 있지 않은 것에 불만을 느꼈다. 그래서 지미는 여섯 단어로 된, 삶을 변화시킬 수 있는 문장 하나를 생각해 냈다. 그는 그 표어를 시민들에게 보여 주며 혼자서 충분한 양의 서명을 받아냈다. 수많은 청원서와 함께 지미는 그것을 주지사에게 제

출했다. 그 결과 오늘날, 초등학교 6학년 소년의 용기 덕분에, 오하이오 주는 '하나님과 함께라면 모든 것이 가능하다All Things are Possible with God'는 공식 표어를 갖게 되었다.

니키는 새로운 용기를 얻었다. 다음 주 월요일 아침 니키는 가발을 머리에 썼다. 그리고 가능한 한 예쁜 옷을 차려 입었다. 그녀는 부모에게 말했다.

"난 오늘 학교에 갈 거예요. 학교에 가서 할 일이 있어요."

딸의 머릿속에 무슨 생각이 들어 있는지 알 길 없는 부모는 걱정이 되었다. 더 나쁜 상황이 일어나지 않을까 두렵기도 했다. 하지만 부모는 아무 말 없이 니키를 학교까지 태워다 주었다. 지난 몇 주일 동안 니키는 차에서 내릴 때마다 엄마와 아빠를 껴안고 키스를 하곤 했었다. 그것은 다른 아이들이 보기에는 흔치 않은 행동이었다. 아이들이 놀려댔지만 니키는 그런 행동을 멈추지 않았었다. 하지만 오늘은 달랐다. 니키는 전과 마찬가지로 부모를 껴안고 키스를 하긴 했지만, 차에서 내리자마자 조용히 뒤돌아서서 말했다.

"엄마, 아빠. 내가 오늘 무슨 일을 하려는지 알아맞춰 보세요."

니키의 눈에는 눈물이 어려 있었다. 하지만 그 눈물은 기쁨과 생명에의 의지에서 나오는 눈물이었다. 그렇다. 앞으로의 일에 대한 두려움이 있었지만 니키에게는 살아야 할 이유가 있었다. 부모가 물었다.

"왜 그러니, 애야?"

니키는 말했다.

"오늘 난 누가 나의 진정한 친구인지 찾아낼 거예요. 누가 나와 가장 친한 친구인지 알아낼 거예요."

그렇게 말하고 나서 니키는 가발을 벗어 자동차의 뒷좌석에 내려놓았다.

"진정한 친구라면 나를 있는 그대로 받아들여 줄 거예요. 그렇지 않으면 나를 받아들이는 게 아니거든요. 나에겐 시간이 얼마 없어요. 죽기 전에 누가 나의 진정한 친구인지 알아야만 해요."

니키는 학교를 향해 걸어갔다. 두 걸음을 걸어간 뒤 니키는 다시 부모를 뒤돌아보며 말했다.

"저를 위해 기도해 주세요."

부모는 말했다.

"물론 하구말구."

니키는 6백 명의 학생들 속으로 당당하게 걸어들어갔다. 니키의 아버지가 뒤에서 말했다.

"저 애가 바로 진짜 내 딸이야."

그날 기적이 일어났다. 니키가 운동장을 지나 교실로 들어가는 동안 아무도 니키를 못 살게 굴지 않았다. 단 한 명도 진정한 용기를 가진 이 소녀를 놀릴 수가 없었다.

니키는 수많은 사람들에게 자기 자신이 되어야 한다는 단순한 진리를 가르쳤다. 신이 준 자신의 능력을 사용하고, 불확실한 삶과 고통과 두려움 속에서도 자신이 옳다고 생각하는 것의 편에 서는 것이야말로 삶을 사는 진정한 길임을 일깨워 주었다.

그후 니키는 고등학교를 졸업했다. 그리고 얼마 후에는 다들 불가능할 것처럼 여겼던 결혼까지 하게 되었다. 니키는 지금 자

랑스런 딸아이의 엄마이며, 그 아이의 이름은 내 막내딸의 이름
과 같은 에밀리다. 삶에서 불가능하게 생각되는 것이 내 앞에 닥
쳐올 때마다 나는 니키를 생각하고 다시금 용기를 얻는다.

빌 샌더즈

너 자신이 되라

저세상에 갔을 때 신은 나에게 "넌 왜 모세처럼 살지 않았느냐?"고 묻지 않으실 것이다. 신은 나에게 "넌 왜 주시야처럼 살지 않았느냐?"고 물으실 것이다.

랍비 주시야

어린시절부터 나는 나 자신이 되기를 원치 않았다. 난 빌리 위들던처럼 되기를 원했다. 하지만 빌리 위들던은 나를 거들떠보지도 않았다. 나는 그의 걸음걸이를 흉내냈고, 그의 말투를 모방하려고 애썼다. 그리고 그가 응시한 고등학교에 따라서 응시했다.

고등학교에 들어가자 빌리 위들던은 변했다. 그는 허비 반데먼 주위를 맴돌기 시작했다. 그는 허비 반데먼처럼 걸었고, 허비 반데먼처럼 말했다. 나는 혼란에 빠졌다. 나는 허비 반데먼처럼 걷고 말하는 빌리 위들던처럼 걷고 말하기 시작했다.

나는 새로운 사실을 알았는데, 허비 반데먼은 조이 하벨린처럼 걷고 말하고 있었다. 그리고 조이 하벨린은 또 코키 새빈슨처럼 걷고 말하고 있었다.

그 결과 나는 코키 새빈슨처럼 걷고 말하는 조이 하벨린을 모방하는 허비 반데먼의 복사판인 빌리 위들던처럼 걷고 말하게 되었다. 그런데 코키 새빈슨은 또 누구의 걸음걸이와 말투를 항상 모방했는지 아는가? 바로 도피 웰링턴이었다. 어딜 가든지 내 걸음걸이와 말투를 모방하려고 애쓰는 그 머저리 같은 녀석 도피 웰링턴 말이다!

작자 미상
스코트 슈만 제공

＊

캘빈 쿨릿지 대통령이 어느날 자기 고향 마을의 친구들을 백악관으로 초대했다. 백악관 식탁에서의 매너를 몰라 고민에 빠진 초대 손님들은 쿨릿지가 하는 대로 따라하자고 결론을 내렸다. 이 전략은 그럭저럭 성공을 거두었다. 그런데 식사가 끝나갈 무렵 커피가 나오자 대통령은 자신의 커피를 커피잔 받침 접시에 붓는 것이었다. 손님들도 눈치를 보며 따라서 했다. 쿨릿지는 거기에 설탕과 크림을 탔다. 손님들도 그대로 했다. 그 다음에 쿨릿지는 몸을 굽혀 그 접시를 식탁 밑에 있는 고양이에게 주었다.

에릴 올슨

＊

넌 너의 엄마처럼 돼야 할 이유가 없다. 네가 꼭 엄마처럼 되기를 원한다면 모르지만. 넌 너의 엄마의 엄마처럼 돼야 할 필요도 없다. 또는 엄마의 엄마의 엄마나 네 아버지쪽의 할머니의 엄마처럼도. 넌 그들의 턱뼈나 엉덩이나 눈의 생김새를 물려받을 수는 있다. 그러나 네가 너보다 먼저 살았던 그 여인들처럼 되어야 하는 것은 아니다. 따라서 네가 그들로부터 어떤 걸 물려받기를 원한다면 그들의 강인함과 생명력을 물려받아라. 왜냐하면 너는 네가 원하는 사람이 되어야 하기 때문이다.

팜 핑거

*

챔피언이 되면 나는 낡은 청바지와 낡은 모자를 쓰고 수염을 덥수룩하게 기른 채로 아무도 날 알아보지 못하는 시골 동네에 갈 것이다. 거기서 내 이름조차 알지 못하는, 날 있는 그대로 사랑하는 작고 귀여운 여우 같은 여자를 한 명 찾아낼 것이다. 난 그녀를 백만 달러가 넘는 대지 위에 세워진 25만 달러짜리 내 집으로 데려가서 내 캐딜락과 수영장을 보여 줄 것이다. 비 올 경우를 대비해서 만든 실내 수영장까지도. 그런 다음 그녀에게 말하리라.

"이건 모두 네 거야. 왜냐하면 넌 날 있는 그대로 사랑하니까."

무하마드 알리

때로 너의 인생에서 엉뚱한 친절과
정신 나간 선행을 실천하라

〈때로 너의 인생에서 엉뚱한 친절과 정신 나간 선행을 실천하라.〉

이것은 입에서 입으로 전해져 미국 전역에 퍼진 일종의 슬로건이다.

사건의 시작은 이러했다. 어느 화창한 겨울날 샌프란시스코에서의 일이었다. 차 뒤칸에 크리스마스 선물을 잔뜩 싣고서 빨간색 혼다를 몰고 가던 한 여성이 베이 브릿지의 통행료 내는 곳에 이르렀다. 그녀는 미소를 지으며 징수원에게 자동 매표기에서 산 일곱 장의 티켓을 내밀었다.

"한 장은 내꺼고, 나머지 여섯 장은 내 뒤에 오는 여섯 대의 차를 위해 내가 대신 내주는 거예요."

뒤따르던 여섯 대의 차들이 한 대씩 징수원 앞으로 다가와 통행료를 내밀었다. 징수원은 그들에게 말했다.

"앞에 가는 어떤 여성이 당신들의 요금을 미리 내줬소. 좋은 하루 보내시오."

혼다를 몰고 가는 그 여성은 전에 친구 집에 놀러갔다가 냉장고에 붙어 있는 작은 문장 하나를 읽은 적이 있었다. 그것은 이런 내용이었다.

〈때로 너의 인생에서 엉뚱한 친절과 정신 나간 선행을 실천하라.〉

그 문장에는 마음에 와 닿는 구석이 있었다. 그래서 그녀는 그것을 수첩에 옮겨 적었다.

한편 주디 포먼은 집에서 수백 마일 떨어진 도로를 차를 몰고 지나가다가 어느 창고벽에 스프레이 페인트로 휘갈겨 적혀 있는 똑같은 문장을 만났다. 여러 날 동안 그 내용이 머릿속을 떠나지 않아 주디는 다시 그 먼 길을 달려가 그 문장을 베껴 왔다. 그녀는 자신이 보내는 모든 편지 말미에 그 말을 적어 넣으면서 이렇게 설명했다.

"난 이 말이 너무나 아름답다는 생각이 들었어. 마치 하늘에서 내려온 메시지처럼 말야."

그녀의 남편 프랭크도 그 문장을 좋아해서 자신이 가르치는 중학교 교실 벽에 그것을 붙여 놓았다. 그런데 학생들 중 하나가 그 지역 신문의 논설위원의 딸이었다. 논설위원은 그 문장을 신문에 실으면서 자신도 그 말을 좋아하긴 하지만 그것이 누가 한 말인지, 또는 정확한 의미가 무엇인지는 모르겠다고 덧붙였다.

이틀 뒤 논설위원은 앤 허버트로부터 다음과 같은 말을 들었다. 늘씬한 40대의 금발 여성 앤은 십대 부자촌에 꼽히는 마린에 살고 있었다. 그녀는 그곳에서 틈틈이 남의 집을 봐주거나 잡일을 하면서 그럭저럭 생활을 해나가고 있었다. 어느날 그녀는 레스토랑에 들어갔다가 무심코 테이블에 놓여 있는 식탁용 종이 받침대에다 며칠 동안 마음 속에 맴도는 그 문장을 썼다.

그러자 옆 테이블에 앉아 있던 남자가 "그거 정말 멋진 말이군요!"하면서 자신의 종이 받침대에다 그것을 옮겨 적었다.

앤 허버트는 우리에게 권한다.

"이런 방법들을 생각해 볼 수 있죠. 물론 더 많은 것들이 있을 수 있지만 말예요. 한번 시도해 보세요."

앤 허버트가 제안하는 것들은 이런 내용이다. (1) 낡은 학교에 갑자기 찾아가 교실 벽에 새 페인트를 칠해 준다. (2) 도시 빈민가에 따뜻한 음식을 배달해 준다. (3) 자존심 강한 할머니의 지갑에 살짝 돈을 넣어 준다. 앤 허버트는 말한다.

"친절은 폭력이 파괴하는 것보다 더 많은 걸 세울 수 있어요."

이제 그 문장은 사방으로 전파되고 있다. 자동차 범퍼의 스티커로, 벽에, 그리고 편지 말미와 영업용 카드에도 등장하고 있다. 머지 않아 우리는 이 나라 전역에서 게릴라와 같은 선행이 베풀어지는 것을 상상할 수 있다.

오레곤 주의 포틀랜드에서는 한 남자가 남의 차가 주차해 있는 장소의 주차 미터기에 때맞춰 동전을 주입한다. 뉴저지의 패터슨에선 열 명이 넘는 사람들이 양동이와 막대걸레와 튜울립 뿌리들을 들고 와서 어떤 낡은 집의 안팎을 말끔히 단장해 주고 있다. 그리고 그 옆에는 어리둥절한 늙은 주인이 좋아서 입을 다물지 못하고 있다. 시카고에서는 한 십대 학생이 갑자기 충동에 사로잡혀 차고에서 집앞 도로까지의 차도를 삽으로 정리하고 있다. 무슨 일인지 아무도 보고 있지 않는데 학생은 이웃집의 차도 까지 열심히 다듬고 있다.

이것은 매우 긍정적인 무정부 상태이며 무질서이고, 기분 좋은 혼란이다. 보스톤의 한 여성은 은행 직원에게 수표를 내밀면서 수표 뒤에다 "메리 크리스마스!"라고 쓴다. 세인트 루이스의 한 남자는 차를 운전하고 가다가 젊은 여성이 모는 차에 자기 차의 뒷범퍼가 찌그러졌는데도 "아, 걱정하지 말아요. 조금 긁혔을 뿐인데, 뭘."하고 말하고는 손을 흔들며 사라진다.

정신 나간 선행은 전염성을 갖고 퍼져 간다. 한 남자가 차도를 따라 나팔수선화를 심고 있다. 지나가는 차들이 일으키는 바람에 그의 셔츠가 물결친다. 시애틀에서는 한 남자가 공중 위생 자원 봉사단에 가입해 혼자서 콘크리트 숲속을 돌아다니며 슈퍼마켓에서 쓰는 수레에 쓰레기들을 주워 모으고 있다. 그런가 하면 아틀랜타에선 한 남자가 초록색 공원 벤치의 낙서들을 지우고 있다.

이런 말이 있다. 미소를 지으면 기운이 난다고. 마찬가지로 때로 무차별적인 친절을 베풀면 당신 자신이 고민하고 있는 문제가 한결 가벼워진다. 세상이 그만큼 약간이라도 살기 좋은 곳이 되기 때문이다.

그리고 당신이 마음을 열고 그것을 받아들인다면 당신은 하나의 기분 좋은 충격에 사로잡힐 것이다. 당신이 러시아워 시간에 차를 몰고 가는데 누군가 앞에서 당신의 도로 통행료를 대신 내줬다면, 당신 역시 언젠가는 다른 누군가를 위해 그런 일을 하게 되지 않을까? 예를 들어 교차로에서 상대방 운전자에게 손을 흔들고, 지친 공무원에게 미소를 짓지 않을까? 아니면 어떤 더 큰 일? 모든 위대한 혁명처럼 이 남모르는 선행 역시 하나의 작은 행동으로부터 시작한다. 당신도 한번 시도해 보라.

아데어 라라

중요한 것은 행위의 결실이 아니라 행위 그 자체다. 그대는 옳은 일을 해야만 한다. 지금 당장 그 결실을 얻는 것은 당신의 능력 밖일지도 모른다. 더 나중의 시대에게 돌아갈 몫일지도 모른다. 하지만 그렇다고 해서 당신이 그 옳은 일을 중단해선 안 된다. 당신의 행동으로부터 어떤 결과가 얻어질지 당신은 모를 수도 있다. 그러나 당신이 아무것도 하지 않는다면 아무런 결과도 없을 것이다.

간디

꽃

"나에게는 많은 꽃이 있습니다." 그가 말했다. "하지만 아이들이야말로 가장 아름다운 꽃이지요."

오스카 와일드

한동안 어떤 신도가 일요일 아침마다 내 양복 상의의 단추구멍에 장미꽃을 한 송이씩 꽂아 주었다. 처음에는 그것을 감사한 일이라 여겼지만 매주일 그 일이 되풀이되다 보니 어느덧 그것에 대해 별로 신경을 쓰지 않게 되었다. 물론 그 성의에 감사하다고 말하긴 했지만 그것도 일상적인 표현에 그치게 되었다.

그러던 어느 일요일 아침, 내가 대수롭지 않게 받아들이던 그 일이 매우 특별한 일로 내게 다가온 사건이 일어났다. 일요일 예배를 마치고 교회 밖으로 나서는데 한 어린아이가 내게 다가왔다. 아이는 바로 내 앞까지 걸어오더니 이렇게 묻는 것이었다.

"목사님, 이제 그 꽃을 어떻게 하실 건가요?"

처음에 난 그 아이가 무슨 말을 하는지 몰랐지만 이내 말뜻을 이해했다. 나는 코트에 꽂힌 장미를 가리키며 물었다.

"아, 이거 말이니?"

아이가 말했다.

"네, 목사님. 그 꽃을 이제 버리실 건가 해서요."

그 말에 나는 미소를 지으며, 원한다면 그 꽃을 가져도 된다고 말했다. 그리고 무심코 그 꽃을 갖고 뭘 할 거냐고 물었다. 그러자 이제 열살 정도밖에 안 돼 보이는 그 아이는 나를 쳐다보며 말했다.

"할머니에게 그 꽃을 드릴려구요. 작년에 엄마와 아빠가 이혼을 하셨거든요. 그래서 전 엄마하고 살았었는데 엄마가 다른 남자와 재혼하면서 절 아빠에게 보내셨어요. 한동안 아빠하고 살았지만 아빠가 또다시 저를 할머니 집에 보냈어요. 그래서 지금은 할머니와 함께 살고 있죠. 할머닌 제게 무척 잘해 주세요. 음식도 만들어 주시고 모든 걸 돌봐 주세요. 할머니가 너무 잘해 주시기 때문에 그 사랑에 대한 보답으로 그 꽃을 갖다 드리고 싶어요."

아이가 말을 마치고 났을 때 난 눈물이 글썽거려서 아무 말도 할 수 없었다. 아이의 말이 내 영혼 깊은 곳에 와 닿았다. 나는 더듬거리는 손으로 코트에서 꽃을 떼었다. 그리고 그것을 손에 들고 아이를 바라보면서 말했다.

"방금 네가 한 이야기는 내가 여태껏 들은 어떤 이야기보다도 감동적이구나. 하지만 넌 이 꽃을 가져가면 안 된다. 왜냐하면 이것으론 충분하지 않으니까 말이다. 저기 설교단에 가면 거기에 큰 꽃바구니가 놓여 있을 게다. 매주일마다 한 가정씩 돌아가면서 그 꽃을 주님 앞에 바친단다. 그것을 네 할머니께 갖다 드리려. 그분은 그것을 받을 만한 충분한 자격이 있으시니까."

이때 아이가 한 마지막 말은 내 마음에 깊은 인상을 더해 주었다. 나는 지금까지도 그 말을 소중히 기억하고 있다. 아이는 기쁜 얼굴로 나를 쳐다보며 말했다.

"정말 행복한 날이군요! 한 송이를 원했을 뿐인데 아름다운 꽃을 한 바구니나 얻게 됐으니까요!"

존 R. 람세이 목사

지금 당장

만일 우리 인생이 단지 5분밖에 남지 않았다는 사실을 안다면 우리 모두는 공중전화 박스로 달려가 자신의 소중한 사람들에게 전화를 걸 것이다. 그리고는 더듬거리며 그들에게 사랑한다고 말할 것이다.

크리스토퍼 몰리

어른들을 가르치는 한 워크샵에서 나는 최근에 매우 '무례한' 일을 저질렀다. 어른들에게 숙제를 낸 것이다! 숙제 내용은 "다음 일주일 동안 자신이 사랑하는 사람에게로 가서 사랑한다고 말하되, 반드시 전에 한 번도 그 말을 하지 않은 사람이거나 오랫동안 그런 적이 없는 사람에게 해야만 한다."는 것이었다. 그것이 뭐 어려운 일이냐고 하겠지만 그 그룹의 수강생들 모두가 35세가 넘었고 자신의 감정을 표현하는 것은 '사내'가 할 짓이 못 된다고 배운 세대라는 사실을 염두에 둔다면 생각이 달라질 것이다. 속마음을 드러내거나 눈물을 흘리는 일 따위는 결코 해서는 안 된다고 그들은 배웠다. 따라서 어떤 사람에게는 내가 낸 숙제가 대단히 어려운 일이었다.

그 다음 워크샵 시간이 되자 나는 수강생들에게 자신이 누군가에게 사랑한다고 말했을 때 어떤 일이 일어났는가를 말해 보게 했다. 나는 평소처럼 여성이 먼저 손을 들 줄 알았다. 하지만 그날 저녁에 손을 든 사람은 남자였다. 그는 무척 감동받은 것처럼 보였고 약간 떨기까지 했다.

의자에서 일어난 그는 180센티미터가 넘는 큰 키였다. 그는 이야기를 시작했다.

"데니스 선생, 지난 주에 당신이 이 숙제를 냈을 때 난 무척 화가 났습니다. 난 그런 말을 해야 할 상대도 갖고 있지 않았을 뿐더러, 당신이 그런 개인적인 일을 숙제로 낼 필요는 없다는 생각이 들었습니다. 하지만 차를 몰고 집으로 돌아가는데 내 양심이 나에게 말을 걸기 시작하더군요. 내가 누구에게 사랑한다는 말을 해야만 하는가 내 스스로 잘 알고 있지 않느냐고 양심이 말을 하는 것이었습니다. 다섯 해 전에 나는 아버지와 어떤 문제로 심하게 다퉜고 그 이후로 그 감정을 그대로 안은 채 살아왔습니다. 우리는 크리스마스 때나 다른 불가피한 가족 모임을 제외하고는 서로 마주치기를 꺼려 했지요. 지난 주 화요일 당신의 워크샵에 참석하고 나서 차를 몰고 집에 도착할 무렵 나는 아버지에게로 가서 사랑한다는 말을 해야만 한다고 내 자신을 설득시켰습니다.

우스운 행동이긴 하겠지만, 일단 결정을 내리자 마음의 무거운 짐이 덜어지는 게 느껴지더군요. 집에 도착한 즉시 나는 집안으로 뛰어들어가 아내에게 내 계획을 말했습니다. 아내는 이미 잠자리에 든 후였지만 난 아내를 흔들어 깨웠습니다. 내 이야기를 듣자 침대에 누워 있던 아내는 벌떡 일어나더니 나를 껴안는 것이었습니다. 아내는 결혼 후 처음으로 내가 눈물을 흘리는 걸 봤습니다. 우리는 밤 늦도록 커피를 마시며 얘길 나눴지요. 정말 멋진 밤이었습니다!

다음 날 아침 나는 여느 때보다 일찍 밝은 기분으로 일어났습니다. 사실 너무 흥분해서 제대로 잠을 이룰 수가 없었지요. 난 일찍 사무실로 가서 전에는 하루 종일 걸렸던 일들을 두 시간 만에 해치웠습니다.

오전 9시에 난 아버지에게 전화를 걸었습니다. 아버지가 전화를 받았을 때 난 간단히 이렇게만 말했습니다. '아버지, 오늘 저녁 퇴근길에 잠깐 들러도 될까요? 드릴 말씀이 있어서요.' 그러자 아버지는 기분이 언짢은 듯 '뭣 땜에 그러냐?' 하고 되물으시더군요. 오래 시간을 빼앗진 않을 거라고 안심시켜 드렸더니 아버지는 마지 못해 승락을 하셨습니다.

오후 5시 반에 난 아버지의 집으로 가서 초인종을 눌렀습니다. 아버지가 문을 열러 나오시기를 기도하면서 말입니다. 만일 어머니가 나오시면 나 자신 금방 겁장이가 되어 어머니에게 대신 그 말을 하게 될까봐 겁이 났던 겁니다. 다행히 아버지가 문을 여셨습니다.

난 시간을 끌 필요도 없이 곧장 문 안으로 한 걸음 들어가 아버지에게 말했습니다.

'아버지, 사랑한다는 말씀을 드리려고 왔어요. 전 아버지를 누구보다도 사랑해요.'

그 순간 아버지의 내면에 큰 변화가 일어난 듯했어요. 내가 보는 앞에서 아버지는 얼굴이 부드러워지더니 주름살이 사라지면서 눈물을 흘리기 시작하셨어요. 아버지는 두 팔을 뻗어 나를 껴안으면서 말씀하셨어요.

'나도 널 사랑한다, 애야. 하지만 여태까진 그 말을 할 수가 없었어.'

난 너무도 감동되어 한 발자국도 움직이고 싶지 않았어요. 어머니가 눈물을 글썽이면서 다가오시더군요. 난 손을 들어 보이며 어머니에게 인사를 했습니다. 아버지와 난 잠시 동안 그렇게 껴안고 있었습니다. 그리고 나서 난 그곳을 떠났지요. 지금까지 오랫동안 난 그런 감동적인 순간들을 느끼지 못한 채로 살아왔었습니다.

하지만 내가 말하려고 하는 건 그게 아닙니다. 내가 방문한 이틀 뒤, 아버지께서 그만 심장마비로 쓰러져 병원에 입원하셨습니다. 그동안 심장병을 심하게 앓으면서도 내게는 아무 말씀도 안하셨던 것입니다. 아버지는 아직도 의식불명인 상태이고, 과연 깨어나실 수 있을지 의문입니다.

따라서 이 워크샵에 참석한 여러분들에게 말씀드리고자 하는 것은 이것입니다. 해야만 한다고 느끼는 일은 미루지 말라는 겁니다. 만일 내가 아버지에게 사랑한다는 말을 지금까지 미루고 하지 않았다면, 아마도 난 두번 다시 기회를 얻지 못했을 겁니다. 시간을 내서 지금 당장 하십시오. 여러분이 해야만 하는 일을!"

데니스 E. 매너링

크리스마스 아침

그는 갑자기 잠이 깨었다. 새벽 네 시였다. 매일 그 시간이면 소젖을 짜러 가기 위해 아버지가 그를 깨웠었다. 어렸을 때의 그 습관이 아직도 남아 있다니 정말 이상한 일이었다. 아버지는 벌써 30년 전에 세상을 떠나셨다. 그런데 그는 아직도 새벽 네 시면 잠이 깨곤 하는 것이다. 그럴 때마다 그는 돌아누워 다시 잠을 청하곤 했지만 오늘은 달랐다. 크리스마스였기 때문이다.

그는 자리에서 일어났다. 하지만 이제 와서 크리스마스가 흥분될 일이 무엇인가? 그의 자식들은 이미 다 성장해서 집을 떠났으며, 그는 텅 빈 집에서 아내와 단 둘이 살고 있었다. 엊저녁 아내는 그에게 말했었다.

"크리스마스 트리는 내일 다듬어요, 여보. 오늘은 너무 피곤해요."

그래서 그 나무는 아직 뒷문 밖에 놓여 있었다.

웬일로 오늘밤은 이토록 정신이 또렷한 걸까? 아직도 밤이었다. 별들이 선명했다. 달은 없었지만 별들은 어느 때보다도 반짝였다. 이제 생각하니 크리스마스 새벽에는 항상 별들이 크고 선명했던 것 같다. 다른 별들보다 더 크고 더 빛나는 별 하나가 눈에 띄었다. 그 별이 움직이는 것처럼 느껴졌다. 마치 밤새도록 먼 하늘을 이동해 온 것처럼.

당시에 그는 열다섯살이었고 아직 아버지의 농장에서 함께 살고 있었다. 그는 아버지를 사랑했다. 그러나 크리스마스 며칠 전이 되어서야 비로소 그 사실을 알았다. 그날 그는 우연히 아버지가 어머니에게 하시는 말을 엿들었다.

"여보, 난 새벽마다 로버트를 깨우는 게 싫소. 그 앤 한창 자라고 있고 잠이 필요한 나이요. 내가 깨우러 갈 때마다 얼마나 곤히 자고 있는지! 나 혼자서 소젖 짜는 일을 할 수 있었으면 좋으련만."

"그건 불가능한 일이에요, 아담."

어머니의 목소리가 들렸다.

"게다가 그 애는 이제 어린애가 아녜요. 제 할일을 해야 할 때라구요."

"그건 그래."

아버지가 마지 못해 대답하셨다.

"하지만 난 정말 그 앨 깨우는 게 싫소."

이 대화를 들었을 때 그는 무엇인가 깨달아지는 게 있었다. 아버지가 그만큼 그를 사랑하고 있었던 것이다. 더 이상 새벽마다 능장 부리거나 두세번 아버지가 깨울 때까지 기다릴 이유가 없었다. 그날 이후 그는 아버지가 부르자마자 잠이 가득한 눈을 부비면서도 얼른 일어나 옷을 들쳐 입었다.

그리고 크리스마스 전날 밤이 되었다. 그해에 그는 열다섯살이었다. 그는 내일의 크리스마스에 대해 생각하며 잠시 누워 있었다. 그는 아버지에게 멋진 선물을 하고 싶었다. 예전처럼 10센트 균일 상점에 가서 아버지에게 드릴 넥타이 하나를 샀다. 그것도 멋진 선물이긴 했지만 다시 생각해 보니 그것으론 충분하지 않은 듯했다. 그는 옆으로 누워 팔꿈치로 머리를 괴고서 다락방 창문을 통해 밖을 내다보았다. 별들이 찬란하게 빛나고 있었다. 지금까지의 그 어느 때보다 더 밝게 빛나고 있었다. 그 중의 어떤 별 하나는 마치 베들레헴의 별처럼 특별히 빛나고 아름다웠다.

어렸을 때 그는 아버지에게 물은 적이 있었다.

"아빠, 마굿간이 뭐예요?"

아버지가 말했다.

"소들이 있는 우리집 가축우리와 똑같은 곳이란다."

예수가 가축우리에서 태어났고, 그 가축우리로 양치기들과 현자들이 크리스마스 선물을 갖고 왔다니!

거기에 생각이 미치자 그는 저 밖 가축우리에다 아버지에게 드릴 특별한 선물을 준비하지 못할 이유가 없다고 생각했다. 네시 전에 일어나 몰래 축사로 기어가서 소젖을 다 짜놓는 거다. 혼자서 일을 끝낸 다음 청소까지 마쳐 놓으면 아버지가 우유를 짜러 오셔서는 그가 해놓은 일을 보시겠지. 아버지는 누가 그렇게 했는지 금방 아실 것이다.

그는 별들을 바라보며 혼자 미소를 지었다. 꼭 그렇게 해야지. 그렇게 하려면 너무 깊이 잠들어선 안 돼.

그는 도중에 스무번도 넘게 깨었다. 그리고는 성냥을 켜서 낡은 시계를 들여다보았다. 아직 자정이었다. 그 다음에는 1시 반이었고, 또 그 다음에는 2시였다.

새벽 2시 45분이 됐을 때 그는 자리에서 일어나 옷을 꿰입었다. 그런 다음 살금살금 계단을 기어내려가 삐걱대는 마룻바닥을 지나 살며시 밖으로 나왔다. 붉은 황금빛으로 빛나는 큰 별이 축사 지붕 위에 낮게 걸려 있었다. 암소들이 졸린 눈으로 놀라서 그를 쳐다보았다. 암소들도 너무 이른 시각이라고 생각했던 것이다.

그는 소들에게 건초더미를 날라 준 뒤 소젖 짜는 양동이와 큰 양철 우유통들을 운반해 왔다. 아버지가 놀랄 것을 생각하니 저절로 미소가 떠올랐다. 그는 침착하게 소젖을 짜기 시작했다. 두 개의 강한 젖줄기가 향기로운 거품을 내며 양동이 속으로 떨어졌다. 다른 날보다 일하기가 쉬웠다. 소젖 짜기가 전혀 지루하게 느껴지지 않았다. 그것이 사랑하는 아버지에게 드리는 특별한 선물이기 때문이었다. 마침내 작업을 마쳤다. 두 개의 우유통이 가득 채워졌다. 그는 우유통 마개를 닫은 다음 우유 보관 창고로 옮겨다 놓았다. 그리고 조심스럽게 문을 닫았다. 빗장을 거는 것도 잊지 않았다. 연장들도 문 옆 제자리에 갖다 놓고 양동이는 깨끗이 씻어 걸어 두었다. 마지막으로 그는 축사를 나와 문을 닫아 걸었다.

방으로 돌아온 그는 숨을 돌릴 겨를도 없이 얼른 옷을 벗고 침대 속으로 뛰어들었다. 아버지가 일어나는 기척이 들렸기 때문이다. 그는 헐떡거리는 숨을 감추려고 이불을 머리까지 뒤집어

써야만 했다. 그 순간 문이 열렸다.

"로버트!"

아버지가 그를 소리쳐 불렀다.

"오늘이 크리스마스인 건 안다만 우린 일어나서 우유를 짜야 한다. 어서 일어나라, 애야."

"네, 알았어요."

그는 일부러 졸린 목소리로 대답했다.

"나 먼저 나가마."

아버지가 말했다.

"내가 먼저 시작할 테니 너도 금방 오거라."

문 닫히는 소리가 들리고, 그는 웃음을 참으며 그대로 누워 있었다. 이제 몇 분이 지나면 아버지가 상황을 눈치 채실 것이다.

그 몇 분이 너무도 길게 느껴졌다. 10분, 15분……아니, 몇 분이 흘렀는지 짐작할 수 없었다. 아버지의 발소리가 다시 들렸다. 문이 열렸지만 그는 여전히 자는 체하며 누워 있었다.

"롭!"

"네, 아빠……."

"너 이놈……."

아버지가 웃음을 터뜨렸다. 그것은 감동의 눈물이 뒤섞인 기묘한 웃음이었다.

"너 날 놀렸구나!"

아버지는 이윽고 그의 침대 옆으로 다가왔다. 그리고는 이불을 잡아당겼다.

"오늘은 크리스마스잖아요, 아빠!"

그는 얼른 아버지를 껴안았다. 아버지의 두 팔이 그를 힘껏 껴안았다. 어둠 속이라서 두 사람은 서로의 얼굴을 볼 수 없었다.

"고맙다, 아들아. 아무도 이렇게 멋진 선물을 내게 준 적이 없구나."

"전 다만 아빠께……."

저절로 말이 끊어졌다. 뭐라고 말해야 할지 그는 알 수 없었다. 그의 가슴은 아버지에 대한 사랑의 감정으로 터질 것만 같았다.

"그렇다면 난 다시 가서 좀더 자야겠구나."

그러나 잠시 후 아버지는 다시 말씀하셨다.

"아니다. 애들이 벌써 일어나기 시작한 것 같구나. 난 여태껏 너희들이 잠에서 깨어 크리스마스 트리를 바라보는 모습을 본 적이 없다. 난 늘 소들에게 매달려 있었거든. 어서 나오너라!"

그는 자리에서 일어나 다시 옷을 입었다. 그리고 두 사람은 크리스마스 트리가 있는 곳으로 내려갔다. 이내 별들이 있던 자리에 태양이 솟아올랐다. 얼마나 멋진 크리스마스 아침이었던가! 아버지가 어머니와 식구들 모두에게 그가 한 일을 설명했을 때는 그는 부끄러움과 자랑스러움으로 다시금 가슴이 터질 것만 같았다.

"내가 받아 본 최고의 크리스마스 선물이다. 매년 크리스마스 아침이 되면 너의 선물을 기억하마, 로버트. 내가 살아 있는 한 말이다."

지금 창 밖에서는 그 큰 별이 서서히 지고 있었다. 그는 자리에서 일어나 슬리퍼를 신고 가운을 걸쳤다. 그리고 살며시 다락

방으로 올라가 크리스마스 트리 장식이 담긴 상자를 찾아냈다. 그는 그것을 아래층 거실로 가져갔다. 그런 다음 나무를 옮겨왔다. 작은 나무였다. 자식들이 모두 떠난 다음부터는 크리스마스 트리로 큰 나무를 쓴 적이 없었다. 그는 나무를 받침대에 세웠다. 그런 다음 그것을 장식하기 시작했다. 그다지 오래 걸리지도 않았다. 시간이 빠르게 지나갔다. 오래 전 새벽 축사에서도 그랬던 것처럼.

그는 서재로 올라가 아내에게 줄 선물이 담긴 작은 상자를 가져왔다. 별 모양의 다이아몬드였다. 크지는 않지만 우아한 디자인이었다. 그는 선물 상자를 나무에 매달고서 허리를 폈다. 아주 보기 좋은 크리스마스 트리였다.

하지만 그것으로는 충분하지 않았다. 그는 아내에게 말하고 싶었다. 자신이 얼마나 그녀를 사랑하고 있는지. 그걸 실제로 말한 것은 아주 오래 전 일이었다. 지금 그는 그들이 젊었을 때보다 더 많이, 그리고 더 특별한 방식으로 그녀를 사랑하고 있었다. 사랑하는 능력, 그것은 진정한 삶의 기쁨이었다! 누군가를 사랑하는 능력이 결여된 사람들도 있다. 하지만 그에게는 아직 사랑이 살아 있었다.

그는 갑자기 어떤 사실 하나를 깨달았다. 사랑이 그의 가슴에 살아 있게 된 것은 오래 전 아버지가 그를 사랑한다는 것을 알게 된 다음부터라고. 바로 그거였다. 사랑만이 사랑을 깨울 수 있었다. 그리고 그 이후 그는 계속해서 사랑의 선물을 줄 수 있었다.

오늘 아침, 이 아름다운 크리스마스 아침, 그는 그 선물을 사랑하는 아내에게 주리라. 그는 아내에게 영원히 간직할 편지를

쓰고 싶었다. 그는 책상으로 가서 아내에게 사랑의 편지를 쓰기
시작했다.

　"사랑하는 나의 아내에게……."

펄 S. 벅

앤디의 순교

앤디는 재미있고 귀여운 아이였다. 다들 앤디를 좋아했다. 하지만 그러면서도 다들 앤디를 괴롭혔다. 왜냐하면 그것이 앤디 드레이크를 대하는 방식이었으니까. 모두가 그런 식으로 앤디를 대했다. 그래도 앤디는 그것을 잘 받아들였다. 언제나 미소로 답했으며, 커다란 두 눈은 "아무튼 고마워."하고 말하는 듯 연신 깜박거렸다.

초등학교 5학년인 우리들에게 앤디는 하나의 감정적 배출구였다. 그는 우리에게 있어서 '왕자를 대신해 매 맞는 소년'과도 같았다. 그러나 앤디는 우리의 그룹에 자신을 끼게 해주는 것만으로도 그 특별 대우를 감수하겠다는 태도였다.

앤디 드레이크는 케이크를 못 먹는대요.
걔네 여동생은 파이를 못 먹는대요.
사회복지 수당이 없으면
드레이크네 식구들은 모두 굶어죽어요.

그렇게 노래를 부르며 놀려대도 앤디는 마냥 좋은 듯했다. 우리 모두는 신이 나서 문법도 안 맞는 노래를 마구 불러대곤 했다. 나는 앤디가 단지 우리와 친구가 되기 위해 그토록 심한 대우를 참아낸 이유를 알 수 없다. 우리로선 어쩌다 보니 상황이 그렇게 됐을 뿐이었다. 다들 그렇게 하자고 모의를 하거나 투표를 한 것도 아니었다.

잘 기억이 나진 않지만 앤디의 아버지가 감옥에 갔고 어머니는 빨랫감과 남자들을 집안으로 끌어들인다는 이야기가 우리들 사이에 오갔던 듯하다. 앤디의 발목, 팔꿈치, 손톱은 항상 때가 끼어 있었고 코트는 너무 컸다. 우리는 그것을 끝없이 놀림감으로 써먹었다. 앤디는 그래도 단 한번 대항하지 않았다.

어린 우리들 속에 속물근성이 싹트기 시작했다. 어느덧 우리는 이런 태도를 갖게 되었다. 우리 자신은 당연히 그룹의 일원이지만 앤디는 우리가 너그럽게 봐 주기 때문에 우리 그룹에 끼게 된 거라고.

그렇지만 우리 모두는 앤디를 좋아했다. 그러던 어느날 누군가 이렇게 말했다.

"걔는 우리완 달라! 우린 걔가 싫어. 안 그러니?"

우리들 중 누가 그런 말을 했을까? 난 지금까지 란돌프를 지목해 왔지만 정직히 말해 누가 우리들 내면에 잠들고 있는 야만적인 심성을 두드려 깨웠는가는 알 수 없다. 그게 누군지는 중요하지 않다.

"난 정말이지 그렇게 하고 싶지 않았어!"

여러 해 동안 난 그런 식으로 나 자신을 변명하려고 애써 왔다. 그러던 어느날 나에게 영원히 유죄를 선언하는 달갑지 않은, 그러나 부정할 수 없는 말을 알게 되었다.

지옥의 가장 고통스런 장소는
위기의 순간에 중립만을 지킨 사람들을 위해
예약되어 있다.

그 주말에 우리는 다른 주말과 마찬가지로 모여서 놀기로 했다. 금요일 수업이 끝나면 우리는 돌아가면서 한 친구의 집에 모이곤 했다. 그리고 근처의 숲으로 가서 캠핑을 했다. 그 주말은 우리집 차례였다. 이 '탐험대'를 위한 준비는 각자의 어머니들이 도맡았다. 어머니들은 아르바이트 후에 우리와 합류할 앤디를 위해서도 별도의 먹을 것을 챙겨 주셨다.

어머니들의 당부를 잊은 채 우리는 재빨리 캠핑 준비를 끝냈다. 함께 모여 있자 우리는 마치 정글에 대항해 싸우는 어른이 된 기분이었다. 다른 애들은 우리집에서 주최한 캠핑이니까 당연히 내가 앤디에게 우리의 결정을 통고해야만 한다고 말했다.

나라고? 나는 앤디가 다른 애들보다 나를 특히 좋아한다고 오랫동안 믿어 왔었다. 그는 날 쳐다볼 때 언제나 강아지처럼 순진한 눈길이었다. 또한 그의 커다란 두 눈을 볼 때마다 나는 그의 우정과 고마움의 표시를 느끼곤 했었다. 그런데 내가 그 일을 해야만 한다고?

난 아직도 그 장면이 눈에 선하다. 앤디는 어둡고 긴 나무들의 터널을 지나 우리들 쪽으로 다가오고 있었다. 나뭇가지들 사이로 내리비치는 오후의 햇살이 그가 입은 더럽고 낡은 스웨터 위에 만화경 같은 무늬를 만들고 있었다. 앤디는 색이 바랜 자전거를 타고 왔다. 정확히 말해 그건 자전거도 아니었다. 타이어 대신에 정원에서 쓰는 호스를 잘라 고정시킨, 여자애들이나 타고 노는 그런 물건이었다. 그는 그때까지 보았던 그 어느 때보다 흥분되고 행복해 보였다. 늘 어른이 할 일까지 맡아 해야만 했던 그 연약한 아이는 이제 남자애들과 함께 모여 남자애들만의 놀이를 하게 된 것이 무척 신나는 듯했다.

캠핑 장소에서 자기를 기다리며 서 있는 나를 보자 앤디는 손을 흔들었다. 나는 그가 던지는 행복한 인사를 애써 무시했다. 낡은 자전거에서 펄쩍 뛰어내린 앤디는 즐겁게 말을 걸면서 나를 향해 빠른 걸음으로 다가왔다. 다른 애들은 텐트 안에서 숨을 죽이고 있었지만 난 그들이 날 응원하고 있음을 느꼈다.

왜 그는 심각하게 받아들이지 않았을까? 내가 자신의 쾌활한 행동에 아무런 반응도 나타내지 않는 것이 보이지 않았던 걸까? 아무리 즐겁게 얘기를 해도 내가 그걸 무시하고 있다는 걸 몰랐던 걸까?

그러다가 갑자기 앤디 드레이크는 뭔가를 알아차렸다. 그의 순진한 표정이 더욱 무방비 상태로 열려왔다. 그의 얼굴은 이렇게 말하는 듯했다. '뭔가 아주 나쁜 일이 있지, 벤? 어서 말해봐.' 실망에 익숙했기 때문에 앤디는 어떤 공격에도 대항하지 않았다. 결코 맞받아친 적이 없었다.

내 자신도 믿어지지 않았지만 나는 앤디에게 말했다.

"앤디, 우린 널 원치 않아."

순간 앤디의 두 눈에 커다란 눈물이 걸렸다. 나는 아직도 그 장면을 놀랄 정도로 생생하게 기억한다. 그동안 수천번도 더 그 장면이 내 마음 속을 지나갔었다. 나를 쳐다보던 앤디의 시선. 영원과도 같은 그 순간 내게로 얼어붙어 있던 그 시선. 그것은 무엇이었을까? 그것은 증오가 아니었다. 그것은 충격이었을까? 불신의 시선이었을까? 아니면 나에 대한 연민의 시선?

아니면 날 용서한다는?

마침내 앤디의 입술에 작은 떨림이 일었다. 그것이 전부였다. 앤디는 아무런 말도 없이, 질문조차도 없이 돌아서서 어둔 그늘 속의 길고 고독한 길을 지나 집으로 돌아갔다.

내가 텐트 안으로 들어갔을 때 누군가, 아마도 그 일의 심각성을 아직도 느끼지 못한 한 친구가 그 치졸한 노래를 또다시 부르기 시작했다.

앤디 드레이크는 케이크를 못 먹는대요.
걔네 동생은 파이를······.

그러자 모두가 느꼈다! 아무 토론도 없었고 투표도 없었지만 우리 모두는 알았다. 우리가 너무도 잔인하고 끔찍한 잘못을 저질렀음을! 우리는 뒤늦게 사건의 교훈을 깨닫고 제각기 몸서리를 쳤다. 무거운 침묵 속에서 우리는 새로운 사실을 이해했다. 신의 형상에 따라 만들어진 한 인간을, 그것도 무방비한 상태로 놓여 있는 한 순진한 인간을 우리의 어리석음으로 파괴했음을. 우리에겐 변명의 여지가 없었다. 그것은 우리의 마음 속에 지울 수 없는 자국을 남겼다.

앤디는 학교에 잘 나오지 않았기 때문에 정확히 언제 그가 학교를 그만 두었는지는 말하기 어렵다. 어쨌든 어느날인가 그가 영원히 떠나갔음을 우리는 알았다. 나는 어떻게 하면 앤디에게 내 잘못을 사과하고 용서를 구할 수 있을지 생각하며 수많은 날들을 내 자신과 싸웠다. 이제 나는 안다. 단순히 앤디를 한번 껴안아 주거나 함께 울기라도 했더라면, 아니면 그냥 긴 침묵 속에 둘이서 앉아 있기라도 했더라면 그것으로 충분했으리라는 걸. 그렇게 하면 우리 둘 다 자연스럽게 치유가 됐을 것이다. 그러나 나는 끝내 그렇게 하지 못했다.

그후 나는 앤디 드레이크를 다시는 만날 수 없었다. 그가 어디로 갔는지, 만일 살아 있다면 지금은 어디에 있는지 알 길이 없다.

하지만 내가 앤디를 만나지 못했다고 말하는 것은 정확한 표현이 아니다. 알칸사스에서의 그 가을날 이후, 나는 지난 이삼십 년 동안 수천 명이 넘는 앤디 드레이크와 마주쳤다. 내 양심은 내가 만나는 모든 불행한 처지의 사람들의 얼굴에 앤디의 얼굴이 겹쳐지게 했다. 그들 모두가 오래 전 그날 내 마음 속에 각인된 앤디의 시선과 똑같은 시선으로 나를 바라보는 것이었다.

앤디 드레이크에게,

자네가 이 글을 읽을 가능성은 거의 없겠지. 그래도 난 이 글을 써야만 해. 이 고백으로 내 양심의 죄책감을 씻기에는 너무 늦었어. 그걸 기대하지도 않고 바라지도 않아.

오래 전 내 친구여, 내가 기도하는 것은 네가 보여 준 그 희생의 힘으로 인해 너 자신이 더 가치 있는 존재가 되었으리라는 것이지. 그날 나로 인해 네가 받은 고통과 네가 보여준 그 사랑의 용기를 신께서 하나의 축복으로 바꿔 놓으셨을 거야. 그리하여 그 잔인한 날에 대한 너의 기억도 이제는 사라지기를.

앤디, 난 완벽한 성자가 아니야. 내가 할 수 있는 일, 내가 해야만 할 일을 항상 해오지도 못했어. 그러나 너에게 말하고 싶은 것은, 난 다시는 앤디 드레이크와 같은 사람을 배척하지 않으리라는 거야. 정말로 그렇게 되지 않기를 난 마음 깊이 기도하고 있어.

벤 버튼

랍비의 선물

이런 이야기가 전해져 오고 있다. 어쩌면 이것은 꾸며낸 이야기인지도 모른다. 하나의 신화처럼 이 이야기는 여러 가지로 각색되어 우리에게 전해져 왔다. 내가 지금부터 하려는 이 이야기는 그 출처가 분명치 않다. 내가 그것을 누구한테 들었는지, 아니면 책에서 읽었는지, 그렇다면 언제 어디서 읽은 것인지조차 기억나지 않는다. 나아가 내가 얼마큼 그 이야기를 내식대로 각색한 것인지조차 알 수 없다. 다만 분명히 알 수 있는 것은 이 이야기에는 제목이 붙어 있었다는 것이다. 그 제목은 '랍비의 선물' 이다.

이야기는 어려운 시기에 닥친 한 수도원에 대한 것이다. 한때는 큰 규모와 역사를 자랑하던 어떤 종교 단체가 있었다. 그 교단은 17세기와 18세기에 걸쳐 벌어진 수도원 박해 운동과 19세기에 일어난 거센 세속주의의 물결에 영향을 받아 모든 세력을 잃고 말았다. 도처에 흩어져 있던 지부들은 명맥이 끊어지고 이제는 중앙 교단에 다섯 명의 수도승만이 남는 초라한 상태로 전

락하고 말았다. 게다가 이 중앙 교단의 수도원장과 나머지 네 명의 수도사들은 모두 70세가 넘는 고령이었다. 누가 봐도 몰락을 눈앞에 둔 교단임에 틀림없었다.

수도원이 위치한 깊은 산 속에는 한 랍비(유태교 성직자)가 이따금 은거처로 사용하는 작은 오두막집이 있었다. 그 랍비는 근처의 도시에서 시나고그(유태교 사원)를 이끌고 있었는데, 가끔씩 그 오두막에 와서 휴식을 취하곤 했다. 수십 년에 걸친 기도와 명상 덕분에 늙은 수도사들은 어느 정도 초능력을 갖고 있었다. 그래서 그들은 랍비가 언제 그 움막에 와 있는지를 멀리서도 알았다.

"랍비가 산에 왔군. 랍비가 또 오두막집에 왔어."

그들은 그렇게 서로의 귀에 대고 속삭이곤 했다. 교단이 종말을 고하는 것 때문에 고뇌하던 수도원장은 문득 그 움막의 랍비를 찾아가 수도원을 되살릴 조언을 들어 봐야겠다는 생각이 들었다.

수도원장이 찾아가자 랍비는 기꺼이 그를 오두막 안으로 맞아들였다. 그러나 수도원장이 방문 목적을 설명하자 랍비는 단지 동정을 표시할 뿐이었다.

"저도 이해합니다."

랍비는 낮은 목소리로 탄식하며 말했다.

"사람들은 이제 영적인 문제로부터 멀어졌습니다. 제가 사는 도시에서도 마찬가집니다. 시나고그에 찾아오는 사람도 요즘은 무척 드물답니다."

늙은 수도승과 랍비는 함께 눈물지었다. 그런 다음 그들은 토라(유태교 경전)를 읽고 조용히 심오한 대화를 나눴다. 이윽고 수도원장이 떠날 시간이 되었다. 둘은 서로를 껴안았다. 수도원장이 말했다.

"그동안 자주 이런 만남을 가졌더라면 얼마나 좋았을까요. 하지만 전 여기에 찾아온 목적을 이루지 못하고 가는군요. 스러져가는 우리 교단을 살릴 한 마디의 조언도 당신은 갖고 있지 않은가요?"

랍비가 대답했다.

"죄송합니다. 전 아무런 조언도 드릴 게 없군요. 단 한 가지 제가 말씀드릴 수 있는 건 당신들 가운데 한 사람이 메시아라는 사실입니다."

수도원장이 돌아오자 나머지 수도사들이 물었다.

"그래, 그 랍비가 뭐라고 하던가요?"

수도원장이 말했다.

"아무런 도움말도 얻을 수 없었습니다. 우린 함께 눈물을 흘리고 토라를 읽었지요. 다만 내가 오두막을 나설 때 그는 우리들 중에 메시아가 있다는 수수께끼 같은 말을 하더군요. 무슨 뜻으로 한 말인지는 잘 모르겠습니다."

그후 날이 지나고 달이 지나면서 늙은 수도사들은 랍비가 한 말의 의미에 대해 곰곰이 생각했다. 우리들 중에 메시아가 있다고? 이 수도원에 있는 우리들 다섯 명의 수도사 가운데 한 사람이 메시아란 말인가? 그렇다면 과연 누가 메시아일까? 수도원장을 가리킨 말이 아닐까? 그래, 정말로 메시아가 우리들 중에 있다면 수도원장이 틀림없어. 그는 한 세대도 넘게 우리들을 지도

해 왔으니까. 하지만 어떻게 생각하면 토마스 형제일지도 몰라. 분명히 토마스 형제는 성스런 사람이야. 토마스 형제가 빛의 사람이라는 걸 모두가 알지. 어쨌든 엘러드 형제를 두고 한 말이 아닌 것만은 분명해. 엘러드는 이따금 변덕을 부리지. 하지만 달리 생각해 보면 엘러드가 비록 발바닥의 가시 같은 존재이긴 하지만 사실 그가 항상 옳았어. 그가 절대적으로 옳을 때가 많았지. 어쩌면 랍비는 엘러드 형제를 두고 말한 건지도 몰라. 필립 형제는 확실히 아니야. 필립은 너무도 순종적이고 거의 눈에 띄지 않는 인물이니까. 하지만 신기하게도 그는 누군가 자기를 필요로 할 때면 항상 나타나곤 하지. 마술이라도 부리는 것처럼 어느새 옆에 와 있단 말야. 혹시 필립이 메시아일지도 몰라. 물론 랍비가 나를 두고 한 말이 아닌 건 확실해. 나를 지목한 말일 가능성은 전혀 없지. 난 그냥 평범한 인간이니까. 오, 하나님! 절대로 전 아닙니다. 제가 당신 앞에 그렇게 중요한 인물로 설 순 없어요. 안 그렇습니까?

늙은 수도사들은 이런 식으로 제각기 사색하면서 메시아일지도 모르는 서로를 깊은 존경심을 갖고 대하기 시작했다. 또한 그럴 가능성은 희박하지만 혹시 자기 자신이 메시아일지도 모르기 때문에 스스로에 대해서도 특별한 존경심을 갖기 시작했다.

수도원이 자리잡은 그 산은 매우 아름다운 경관을 가진 곳이었다. 그래서 이따금 사람들이 소풍 삼아 수도원을 찾아와 잔디밭에서 놀거나 수도원 주변의 오솔길들을 산책하곤 했다. 또 황폐해져 가는 수도원 안으로 들어가 명상을 하는 사람도 가끔 있었다. 사람들은 차츰 자신들도 모르는 사이에 그곳에 사는 다섯 명의 수도사들 사이에 존재하는 어떤 특별한 존경심 같은 것을 느끼게 되었다. 서로를 존경하는 그 마음들이 후광처럼 수도원 전체를 감싸고 있었다. 거기에는 어떤 이상한 매력과 사람을 잡아끄는 힘이 있었다. 자신들도 모르게 사람들은 더 자주 그 수도원을 찾아와 소풍을 즐기고 명상을 하기 시작했다. 이 특별한 장소를 보여 주기 위해 주위의 친구들까지 데려왔다. 그리고 그 친구들은 또 다른 친구들을 데려왔다.

그러다 보니 이제는 젊은 사람들도 그 수도원을 찾아와 늙은 수도사들과 대화를 나누는 일이 많아졌다. 얼마 후 한 젊은이가 그곳에 입문해 수도사가 되었다. 그 뒤를 이어 또 다른 젊은이도 입문했다. 그래서 몇 해 뒤에는 수도원이 또다시 옛날처럼 번창하게 되었고, 랍비의 선물 덕분에 그곳은 그 지역의 빛과 영성의 살아 있는 중심지가 되었다.

M. 스코트 펙

이 빠진 접시

    내가 식탁을 차리고 있을 때면 엄마는 종종 가장 좋은 접시들을 꺼내 놓으라고 말했다. 자주 있는 일이라서 나는 거기에 대해 아무것도 묻지 않았다. 난 그것이 엄마의 일시적인 기분이라고 여기고 시키는 대로 할 뿐이었다.

    어느날 저녁이었다. 내가 식탁을 차리고 있는데 예고도 없이 옆집에 사는 마가렛 아줌마가 찾아왔다. 마가렛이 문을 두드리자 음식 만드느라 정신이 없던 엄마는 아줌마에게 안으로 들어오라고 하셨다. 주방으로 들어온 마가렛 아줌마는 식탁에 놓인 아름다운 접시 세트가 눈에 띄자 이렇게 말했다.

    "아, 손님이 오실 예정인 줄 몰랐네요. 다음에 다시 올께요. 먼저 전화를 드리고 나서 왔어야 하는건데."

    엄마가 말했다.

    "아녜요, 괜찮아요. 아무 손님도 오지 않아요."

    그러자 마가렛 아줌마는 의아한 얼굴로 물었다.

    "그럼 왜 이렇게 귀한 그릇 세트를 꺼내 놓았죠? 난 이런 그릇은 일년에 한두 번밖에 쓰지 않는데."

엄마는 부드럽게 웃으며 대답했다.

"난 지금까지 우리 가족을 위해 언제나 가장 좋은 식사를 준비해 왔어요. 손님이나 외부인을 위해 특별한 식탁을 차려야만 한다면 자신의 가족들을 위해서도 그렇게 하지 못할 까닭이 없지 않겠어요? 가족은 누구보다도 특별한 사람들이니까요."

"그 말도 일리가 있긴 해요. 하지만 그러다가 아름다운 그릇들이 깨지기라도 하면 어쩔려구요?"

마가렛 아줌마는 가족에 대해 엄마가 갖고 있는 특별한 가치 기준을 이해하지 못했기 때문에 그렇게 되물을 수밖에 없었다.

"그럴 수도 있겠죠."

엄마는 대수롭지 않게 대답했다.

"하지만 온가족이 저녁 테이블에 앉아 이 아름다운 그릇들로 식사를 할 수 있다면 접시에 이가 빠지는 것쯤은 그다지 큰 대가가 아니죠. 게다가……."

엄마는 소녀처럼 반짝이는 눈으로 덧붙였다.

"이 빠진 접시들은 제각기 그것과 관련된 사연들을 간직하고 있기 마련이죠."

그렇게 말하면서 엄마는 찬장으로 가서 접시 하나를 꺼냈다. 그것을 손에 들고 엄마는 말했다.

"이 접시에 이가 빠진 게 보이죠? 내가 열일곱살 때의 일이었어요. 난 그날을 결코 잊을 수 없답니다."

마치 다른 시대를 기억하는 듯 엄마의 목소리는 한결 부드러워졌다.

"어느 가을날, 오빠들은 그해의 마지막 건초를 저장하느라 일꾼이 필요했지요. 그래서 젊고 튼튼하고 잘 생긴 청년이 우리집에 고용됐답니다. 엄마가 나더러 닭장에서 금방 난 달걀들을 꺼내 오게 했어요. 내가 그 청년을 본 건 그때가 처음이었어요. 난 걸음을 멈추고 서서 그가 크고 무거운 건초더미를 어깨에 들어올렸다가 능숙하게 헛간의 널대 위로 집어던지는 걸 바라봤어요. 정말이지 매력적인 남자였어요. 가는 허리에다 팔뚝은 강인해 보이고 머리결은 빛이 났답니다. 그는 내가 바라보는 걸 눈치챘는지 어깨에 건초더미를 들어올린 채로 얼굴을 돌려 나를 바라보더니 미소를 지었어요. 믿어지지 않을 정도로 미남이었어요."

엄마는 손가락으로 접시 가장자리를 어루만지며 말을 이었다.

"오빠들도 그 청년이 맘에 들었던 모양인지 저녁식사에 그를 초대했답니다. 큰오빠가 그 사람더러 내 옆자리에 앉으라고 말했을 때 난 거의 숨조차 쉴 수 없었지요. 그를 쳐다보고 있다가 들킨 뒤였으니 내가 얼마나 당황했겠어요. 그런데 이제 그 사람 바로 옆에 앉아 있게 된 거예요. 그가 곁에 있는 것만으로도 난 정신을 차릴 수가 없어서 입을 꼭 다물고 식탁만 내려다봤지요."

문득 어린 딸과 이웃집 여자 앞이라는 사실을 깨달은 듯 엄마는 얼굴을 붉히며 서둘러 이야기의 결론으로 달려갔다.

"어쨌거나 그 사람이 나한테 음식을 덜어달라며 접시를 내밀었는데 난 너무 긴장되고 떨리고 손바닥에는 땀까지 나서 그만 접시를 떨어뜨리고 말았답니다. 접시는 찜냄비에 부딪치면서 그만 한쪽에 이가 빠져 버렸지요."

엄마의 이야기에 무감동한 채로 마가렛 아줌마가 말했다.

"나 같으면 잊어버리고 싶은 기억이군요."

엄마가 말했다.

"오히려 정반대죠. 일년 뒤에 난 그 멋진 남자와 결혼을 했으니까요. 그리고 지금까지도 이 접시를 볼 때마다 난 그이를 처음 만난 그날이 생각나요."

엄마는 접시를 다른 접시들 뒤켠의 제자리에 도로 집어넣었다. 그러다가 나와 눈이 마주치자 엄마는 얼른 윙크를 하셨다. 방금 한 이야기에 마가렛 아줌마가 아무런 느낌도 받지 못한 걸 알고 엄마는 서둘러 다른 접시를 꺼냈다. 이번 것은 완전히 깨졌다가 접착제로 다시 조각들을 이어 붙인 접시였다.

"이 접시는 우리의 아들 마크가 막 태어나서 병원에서 집으로 온 날 깨진 거랍니다. 그날은 어찌나 춥고 바람이 세게 불던지! 여섯살짜리 딸아이가 날 거들겠다고 접시를 싱크대로 나르다가 그만 바닥에 떨어뜨렸지요. 처음에 난 당황했지만, 다음 순간 내 자신에게 말했어요. 저건 깨진 접시에 불과해, 깨진 접시 하나가 새로운 아기가 우리 가정에 가져다 준 행복을 망쳐 놓을 순 없어, 라고 말예요. 사실 그후 우린 접시의 깨진 조각들을 맞추느라고 몇 번이나 즐거운 시간을 보냈지요."

내가 보기에 엄마는 그것말고도 다른 접시들에 대해서도 많은 얘기를 간직하고 계신 듯했다. 그 뒤 여러 날이 지나도록 나는 엄마가 아빠를 처음 만난 날 깨졌다는 그 접시에 대한 이야기를 잊을 수가 없었다. 엄마가 그것을 다른 접시들 뒤켠에 고이 간직해 왔다는 것만으로도 그것은 특별한 의미를 지닌 것이었다. 그 접시가 자꾸만 내 생각을 사로잡았다.

며칠 뒤 엄마가 야채를 사러 시내로 나가셨을 때였다. 엄마가 외출하시면 나머지 아이들을 돌보는 건 내 몫이었다. 엄마가 탄 차가 도로 아래쪽으로 사라지자마자 나는 다른 때처럼 얼른 부모님의 침실로 달려갔다. 그것은 사실 금지된 일이었다. 나는 의자를 끌어와 그 위에 올라섰다. 그리고 서랍장의 맨 윗서랍을 열었다. 그 다음에는 지금까지 수없이 한 것처럼 서랍을 뒤지기 시작했다. 서랍 안쪽, 어른들이 입는 부드럽고 좋은 냄새가 나는 옷 밑에는 나무로 만든 네모난 보석 상자가 있었다. 나는 그것을 꺼내 뚜껑을 열었다. 상자 안에는 늘 같은 내용물이 들어 있었다. 엄마가 가장 좋아하는 힐다 고모가 엄마에게 물려 주신 붉은색 루비 반지, 엄마의 엄마에게 결혼식날 외할아버지가 선물한 섬세한 진주 귀걸이, 엄마 자신의 특별한 결혼 반지 등이 있었다. 엄마는 아빠일을 돕기 위해 외출할 때면 종종 그 반지를 끼셨다.

소중한 보석들에 다시금 매혹되어 모든 계집애들이 하듯이 나는 그것들을 손가락에도 끼어 보고 귀에도 달아 보았다. 나도 이 다음에 엄마처럼 아름다운 여인이 되면 이런 우아한 보석들을 가질 것이라고 다짐했다. 어서 빨리 나 자신의 서랍장을 가져서 다른 사람들에게 절대로 그걸 열어 보면 안 된다고 말할 수 있는 날이 오기를 나는 바랐다.

그러나 오늘만큼은 그런 생각들에 너무 오래 매달려 있지 않았다. 나는 그 보석함 밑바닥에 깔아 놓은 작은 붉은색 융단을 들췄다. 거기에는 보석과 분리된 곳에 접시에서 깨어져 나온 평범한 사금파리 하나가 보관되어 있었다. 전에는 그것이 내게는 아무런 의미도 없는 것이었다. 나는 그것을 상자에서 꺼내 조심스럽게 빛에 비춰 보았다. 그리고 본능적으로 부엌 찬장으로 달려가 의자를 받치고 그 접시를 꺼냈다. 내가 상상한 그대로 엄마가 세 개밖에 없는 소중한 보석들과 함께 보관하고 있는 그 사금파리 조각은 엄마가 처음 아빠와 눈이 마주친 날 깬 바로 그 접시에서 나온 것이었다.

이제 나는 새로운 사실을 알았고, 엄마에 대해 더 많은 존경심을 갖게 되었다. 나는 그 성스런 접시 조각을 보석 상자에 조심스럽게 도로 갖다 넣었다. 이제 나는 엄마의 그릇 세트가 가족에 대한 많은 사랑의 이야기를 간직하고 있다는 걸 분명히 알았다. 그 접시들만큼 엄마에게 소중한 유산은 없었다. 깨어진 접시 조각과 함께 가장 특별한 사랑 이야기가 시작됐으며, 그 이야기는 이제 33번째 장에 이르렀다. 부모님이 결혼하신 지 올해로 33년이 된 것이다!

내 여동생들은 엄마에게 나중에 그 골동품 루비 반지를 자기들한테 달라고 부탁했다. 다른 여동생은 외할머니의 진주 귀걸이를 갖겠다고 말했다. 나는 여동생들이 이 아름다운 가정의 유산을 물려받게 되기를 바란다. 나 자신은 매우 특별한 한 여성의 매우 특별한 사랑의 이야기가 담겨 있는 그 기념품을 갖고 싶다. 그 작은 접시 조각말이다.

베티 B. 영

할머니의 선물

아주 어렸을 때부터 나는 할머니를 가기라고 불렀다. 내가 갓 난아기였을 때 내 입에서 최초로 나온 단어는 '가기'였다. 자부 심 많은 할머니는 내가 당신의 이름을 부르는 것처럼 생각하셨 다. 그래서 나는 오늘날까지도 할머니를 가기라고 불러 왔다.

할아버지가 아흔살이 되어 돌아가셨을 때 두 분은 결혼한 지 50년이 넘으셨다. 가기는 심한 상실감에 시달리셨다. 어느날 갑 자기 인생의 구심점이 사라진 것이다. 할머니는 세상을 외면한 채 비탄에만 잠기셨다. 그 슬픔은 거의 5년 가까이 지속되었다. 그 기간 동안 나는 매주마다 할머니를 찾아 뵈려고 노력했다.

그날도 나는 할머니를 방문하면서 할머니께서 여전히 침울한 상태로 계시리라고 예상했다. 할아버지가 돌아가시고 난 이후로 늘 그러셨으니까 어쩌면 그것은 당연한 일이었다. 그러나 내가 들어섰을 때 할머니는 전에 없이 환한 표정으로 휠체어에 앉아 계셨다. 그토록 달라진 모습에 내가 재빨리 반응을 보이지 않자 할머니가 먼저 말을 던지셨다.

"내가 왜 이렇게 행복해 하는지 넌 알고 싶지 않니? 호기심이 생기지도 않아?"

"당연히 알고 싶죠, 가기."

난 얼른 사과를 드렸다.

"먼저 여쭤 보지 못해서 죄송해요. 어서 말씀해 보세요. 왜 이렇게 행복해지셨죠? 이렇게 달라지신 이유가 뭐예요?"

"그건 어젯밤 내가 해답을 찾았기 때문이다."

할머니는 단언하셨다.

"신이 왜 네 할아버지를 먼저 데려가고 나를 혼자서 살아가도록 했는지 마침내 나는 이유를 알았다."

가기는 전에도 자주 사람을 놀래키곤 하셨지만 이번에는 정말로 놀라지 않을 수 없었다.

"그 이유란 게 뭐죠, 가기?"

나는 더듬거리며 물었다. 그러자 세상의 가장 중요한 비밀을 들려 주기라도 하듯이 할머니는 목소리를 낮추고 휠체어 앞으로 몸을 숙여 은밀하게 고백했다.

"너의 할아버지는 인생의 비결이 사랑이라는 걸 아셨으며, 또 날마다 그걸 실천하셨다. 나도 무조건적인 사랑이 어떤 거라는 걸 알고는 있었지만 제대로 실천하진 않았지. 그래서 그이가 먼저 가고 나 혼자 뒤에 남게 된 거다."

할머니는 당신이 하시려는 말에 대해 생각하려는 듯 잠시 멈췄다가 말을 이었다.

"나는 그동안 내 자신이 벌을 받은 거라고 생각했다. 하지만 어젯밤 난 깨달았다. 내가 홀로 남게 된 것은 신이 내린 선물이라는 걸. 나 역시 인생을 사랑으로 채울 수 있도록 날 남게 하신 거야. 내 말뜻 알겠니?"

할머니는 하늘을 손짓해 보이며 말씀하셨다.

"지난 밤에 한 가지 교훈을 얻었다. 저곳에서는 배울 수 없는 것이 여기에는 있다고 말이다. 사랑은 여기 지상에 살아 있을 때 실천해야만 해. 일단 이곳을 떠나면 그때는 모든 것이 늦지. 그래서 나는 지금 이곳에서 사랑하는 법을 배울 수 있도록 생의 선물을 받은 거야."

그날 이후로 할머니를 방문하는 것은 하나의 새로운 모험 여행이었다. 내가 찾아갈 때마다 가기는 자신의 목표를 이뤄 나가는 이야기를 하나씩 들려 주었다. 한번은 흥분해서 휠체어를 두들기며 말씀하셨다.

"오늘 아침 내가 어떻게 했는지 넌 상상도 못할 거다!"

내가 정말로 상상이 안 간다고 대답하자 할머니는 여전히 흥분해서 말씀하셨다.

"오늘 아침 네 삼촌이 내가 한 어떤 일을 두고 화를 냈단다. 난 조금도 겁을 먹지 않았어! 오히려 난 그 애의 분노를 받아들이고 그것을 사랑으로 감싸서 기쁨과 함께 돌려줬지."

할머니의 눈이 더없이 반짝거렸다.

"그건 재미있는 일이기까지 했고, 내 앞에서 네 삼촌의 화도 눈 녹듯이 사라졌단다."

세월은 예정대로 잔인하게 흘러갔지만 가기의 삶은 완전히 새로운 것이 되어 갔다. 그 뒤 여러 해 동안 할머니를 찾아가 뵐수록 매번 할머니는 사랑의 교훈을 실천하고 계셨다. 할머니는 지난 12년 동안 삶의 가치에 해당하는 목표를 갖고 계셨고 삶을 계속해야 할 이유를 알고 계셨다.

가기가 세상을 떠나시기 마지막 며칠간 나는 종종 병원으로 찾아가 뵈었다. 어느날 내가 할머니의 병실로 들어가자 담당 간호원이 있다가 내 눈을 바라보며 말하는 것이었다.

"댁의 할머니는 정말 특별한 분이세요. 이분은 빛 그 자체예요."

그렇다. 하나의 목표가 할머니의 삶을 불꽃으로 만들었으며, 할머니는 마지막 순간까지 타인을 위한 빛이 되셨다.

D. 트리니다드 헌트

천사는 날기 위해 다리가 필요하지 않다

삶의 나라가 있고 죽음의 나라가 있다. 두 곳을 연결하는
것은 사랑이다.

쏜톤 와일더

최근에 나는 캘리포니아의 산 마테오에 있는 〈깨어 있는 사람
이 되기 위한 모임〉에 소속된 서른 명의 민간 외교관들과 함께
폴란드의 바르샤바를 여행할 기회가 있었다. 나는 우리를 안내
하는 여행 가이드에게 사람들을 방문하고 싶다고 말했다.

"성당이나 박물관은 이제 그만 갑시다. 우린 사람들을 만나 보
고 싶어요!"

그러자 가이드는 충격을 받은 듯했다. 이름이 로버트인 그는
우리에게 말했다.

"날 놀리시는군요. 당신들은 미국인이 아닌 게 틀림없어요. 아
마 캐나다인일 거예요. 절대로 미국인은 아녜요. 미국인은 사람
들을 만나고 싶어하지 않아요. 우린 미국 텔레비전의 여러 방송

을 보고 있는데, 미국인은 사람들에게 관심이 없어요. 그러니 어서 진실을 말하세요. 당신들은 캐나다에서 왔거나 아니면 영국인들이죠?"

슬프게도 그는 농담을 하고 있는 게 아니었다. 그는 매우 진지했다. 그러나 그의 말이 사실이지 않은가! 미국의 영화와 텔레비전의 여러 프로그램에 대해 서로들 얘기를 나눈 끝에 마침내 우리는 그것이 사실임을 인정했다. 하지만 그런 미국인들이 많은 반면에 그렇지 않은 미국인도 많으니까 어서 우리에게 사람들을 만날 수 있게 해달라고 우리는 로버트를 설득시켰다. 결국 우리의 요청이 받아들여졌다.

로버트는 우리를 회복기의 환자들을 수용하는 병원으로 데려갔다. 그 병원은 나이 든 여성들을 수용하는 곳으로 최고령의 환자가 1백살이 넘은 할머니였다. 그녀는 들리는 바에 의하면 전에 러시아 제국의 공주였다. 그녀는 우리에게 여러 나라의 언어로 시를 암송해 주었다. 이따금 정신이 흐려질 때도 있었지만, 그럼에도 불구하고 그녀의 우아함과 매력은 여전히 빛을 발하고 있었다. 그녀는 우리가 떠나는 걸 원치 않았다. 하지만 우린 떠나야만 했다. 간호사, 의사, 수행원, 병원 관리자들과 함께 우리는 그 병원에 수용된 85명의 여성들 모두와 웃고 포옹을 하고 손을 잡았다. 어떤 여성들은 나를 '아저씨'라고 부르며 자기 손을 잡아달라고까지 했다. 나는 기꺼이 그렇게 했다. 시든 육체 속에서 빛나는 그들 영혼의 아름다움을 보고 나는 눈물을 흘리지 않을 수 없었다.

그러나 그 여행의 가장 큰 충격은 마지막 그 병원의 한 환자를 만난 것이었다. 그녀는 병원에서 가장 젊은 여성이었다. 올가라는 이름을 가진 여성으로, 올해 58세였다. 지난 8년간 그녀는 침대 밖으로 나오길 거부하며 그녀의 병실에 홀로 앉아 있었다. 그녀의 사랑하는 남편이 죽었기 때문에 그녀는 더 이상 살기를 원치 않았다. 한때 병원 의사였던 이 여성은 8년 전 달리는 열차에 몸을 던져 자살을 시도했다. 열차는 그녀의 목숨 대신에 두 다리를 앗아갔다.

상실감으로 인해 수많은 고통의 문들을 지나온 이 가슴 아픈 여성을 보는 순간 나는 큰 슬픔과 연민이 느껴져 나도 모르게 그녀 앞에 무릎을 꿇었다. 그리고 뭉툭하게 잘려진 그녀의 다리에 입을 맞추었다. 마치 나 자신보다 더 큰 어떤 힘이 나를 압도하고 있는 듯했다. 나는 그녀의 뭉툭한 다리를 어루만지며 영어로 말을 했다. 사실 나중에야 나는 그녀가 내 말을 이해한다는 걸 알았을 뿐이다. 하지만 그건 아무래도 상관없는 일이었다. 내가 무슨 말을 했는지 나 자신도 거의 기억할 수 없었으니까. 나는 그녀의 고통과 상처에 대한 내 느낌을 말했다. 그리고 그녀가 자신의 경험을 바탕으로 머지않아 전보다 더 큰 자비심과 사랑의 감정을 갖고 환자들을 치료할 수 있게 되리라고 말했다. 사회주의 국가에서 해방돼 큰 변혁기에 처한 그녀의 조국 폴란드는 어느 때보다도 더 그녀를 필요로 하고 있었다. 파괴되고 황폐해진 그녀의 조국이 이제 다시 소생하고 있듯이 그녀 역시 과거의 상처로부터 소생해야만 했다.

나는 그녀를 보는 순간 부상당한 천사가 생각났으며, 그리스어로 천사는 앙겔로스angelos인데 그 뜻은 '사랑을 전하는 자,

신의 심부름꾼'이라는 뜻이라고 그녀에게 말해 주었다. 그리고
천사는 하늘을 나는 데 다리가 필요하지 않다는 점을 그녀에게
상기시켰다. 15분쯤 지나자 병실 안에 있던 모든 이들이 연민의
감정에 떠밀려 흐느껴 울기 시작했다. 나는 올가를 올려다보았
다. 그 순간 올가의 얼굴이 빛나기 시작했다. 그녀는 당장 휠체
어를 갖다 달라고 간호사에게 말했다. 그리고 8년 만에 처음으로
침대에서 내려오기 시작했다.

스탄 데일

그 사람은 나의 아버지예요

다음의 편지는 어느 큰 대학병원의 외래환자 진료실에 떨어져 있던 것이다. 편지를 쓴 이가 누구인가는 알려지지 않았지만, 그 내용은 병원에서 종사하는 모든 사람들에게 해당되는 것이라 믿고 여기에 옮겨 싣는다.

*

이 병원에 근무하는 의료진 여러분에게,

오늘 당신들이 진료실 책상 위에 올려져 있는 수십 장의 진료 차트와 초록색 메디케이드(65세 미만의 저소득자, 신체장애자를 위한 의료 보장 제도) 카드를 훑어보면서 지금부터 내가 말하는 것을 기억해 주기를 바랍니다.

나는 어제 당신들과 함께 시간을 보냈습니다. 나는 부모님을 모시고 이 병원에 왔습니다. 우리는 어디로 가게 될지, 무엇을 하게 될지 알 수가 없었습니다. 지금까지 당신들의 진료가 필요했던 적이 한번도 없었기 때문이지요. '저소득층 의료 보장 수혜자'라는 딱지가 우리에게 붙었던 적도 없었습니다.

어제 나는 나의 아버지라는 인격체가 당신들에 의해서 하나의 진료 번호, 하나의 차트, 병명 번호, '보증인 없음' 딱지가 붙은 의료 보장 수혜자 번호로 바뀌는 것을 보았습니다. 아버지는 의료 보험이 없으셨기 때문입니다.

나는 한 허약한 남자가 다섯 시간이나 줄을 서서 이리저리 끌려다니는 걸 보았습니다. 원무과 직원들은 전혀 참을성이 없었고, 간호사들은 지쳐 있었으며, 시설은 예산 부족으로 형편없기 짝이 없었습니다. 아버지는 모든 위엄과 자존심을 박탈당한 채 그곳들을 통과해야만 했지요. 당신들 의료진이 얼마나 비인간적인지 나는 놀라움을 금할 수 없었습니다. 환자가 신청서를 제대로 써오지 않는다고 호통을 치고 화를 냈습니다. 당신들 같으면 처음으로 병원에 와서 그것을 정확히 써낼 수 있겠습니까? 그리고 점심 시간에는 마치 '가난뱅이들의 지옥'에서 해방이라도 된 듯이 옆에 사람들이 있는데도 불구하고 자신이 진료한 환자에 대해 조심성 없이 떠드는 것이었습니다.

나의 아버지는 진료 지정일에 당신들의 책상 위에 올려져 있는 하나의 초록색 카드, 하나의 파일 번호에 지나지 않았습니다. 그리고 당신들이 기계적으로 말해 주는 방향을 제대로 알아듣지 못해 또다시 물어대는 귀찮은 환자에 불과했습니다. 그러나, 아닙니다. 그것은 나의 아버지가 아닙니다. 단지 당신들이 그렇게 취급하고 있을 뿐입니다.

당신들이 알지 못하는 것이 있지요. 그는 14세 때부터 캐비닛을 만들어 온 자영업자이고, 훌륭한 아내를 가진 남자입니다. 그에게는 네 명의 성장한 자녀들—당신들이 보기엔 너무도 자주 병문안을 오는—과 다섯 명의 손주들—곧 두 명이 불어날 예정이지만—이 있고, 이들 모두는 그들의 아버지와 할아버지를 최고의 존재로 여기고 있습니다. 그는 아버지로 갖춰야 할 모든 것을 갖췄습니다. 도덕적이고, 강인하며, 또한 부드럽지요. 시골에서 자라 세련되진 않지만 유명한 회사 대표들에게 존경을 받고 있습니다.

그분은 나의 아버지이십니다. 온갖 힘든 과정 속에서도 나를 키우셨고, 나를 신랑에게 인도했으며, 내 아이들이 태어날 때 받아주셨고, 내가 어려울 때는 20달러짜리 종이돈을 내 손에 쥐어주셨으며, 내가 울 때면 나를 달래 주셨습니다. 그리고 이제 얼마 안 가서 암이 그를 우리로부터 영원히 데려가리라는 걸 우리는 알고 있습니다.

당신들은 이 편지가 사랑하는 이를 곧 잃게 된 슬픔에 젖은 딸이 자신의 감정을 주체할 수 없어서 퍼붓는 비난이라고 생각할지도 모릅니다. 난 그 생각에 동의할 수 없습니다. 오히려 내가 말하는 것을 절대로 가볍게 여기지 말아 달라고 촉구하는 바입니다. 각각의 진료 차트는 한 사람의 인격체를 대변합니다. 그 인격체에게는 감정이 있고, 살아온 내력이 있으며, 인생이 있습니다. 당신들이 하는 말과 행동은 그에게 영향을 줍니다. 내일이면 당신들이 사랑하는 사람이 그 위치에 놓일 수도 있습니다. 당신들의 가족이나 친척이 하나의 차트 번호, 초록색 진료 카드, 노란색 싸인펜으로 체크된 하나의 이름으로 바뀔 수 있습니다.

이 편지를 읽은 뒤에는 당신들이 줄 서서 기다리는 다음 사람에게 친절하고 부드럽게 응답해 주기를 진심으로 기원합니다. 왜냐하면 그 사람은 누군가의 아버지이고 남편이고 아내이며 아들딸이기 때문입니다. 또는 그렇지 않더라도 당신들과 마찬가지로 신이 창조한, 그리고 신이 사랑하는 한 사람의 인간이기 때문입니다.

작자 미상
홀리 크레스웰 제공

어느 디스크 자키의 경험

오하이오 주의 콜럼부스에서 디스크 자키로 일하고 있을 때 나는 귀가하는 길이면 근처의 대학 병원이나 일반 병원에 들르곤 했다. 나는 그냥 아무 병실이나 들어가 그곳에 있는 환자들에게 책에 적힌 좋은 구절을 읽어 주거나 함께 얘기를 나눴다. 그것은 내 자신의 문제를 잊을 수 있는 한 가지 방법이기도 했고, 또한 내가 누리는 건강에 대해 감사하게 여기는 마음을 갖게 해 주었다. 또한 그것은 내가 방문하는 환자들의 삶에 조금이나마 변화를 주었다. 한번은 문자 그대로 그것이 내 생명을 구한 적이 있었다.

나는 라디오 방송에서 곧잘 위험 수위의 발언을 하곤 했다. 어느날 나는 타도시에서 가수들을 데려온 한 음악 홍행업자에 대해 공격을 가했다. 그가 데려온 사람들은 선전과는 달리 실제로는 그 그룹에 속한 가수들이 아니었던 것이다. 나는 그 사실을 폭로하면서 그의 부당한 홍행 방식을 비판했다. 내가 공격한 그 사람은 나와 계약을 맺은 사람이기도 했다.

어느날 새벽 두 시, 나는 집으로 가고 있는 중이었다. 사회자로 일하는 한 나이트 클럽에서 막 일을 끝낸 다음이었다. 내가 집에 도착해 문을 여는 순간 한 남자가 옆에서 걸어나오며 물었다.

"당신이 레스 브라운이오?"

나는 대답했다.

"그렇습니다만······."

그가 말했다.

"당신에게 할 말이 있소. 내가 여기에 온 건 당신에 대한 계약을 수행하기 위해서요."

내가 물었다.

"나에 대해서요? 무슨 일이죠?"

그는 말했다.

"당신에게 지금까지 월급을 지불해 온 한 흥행업자가 당신 때문에 무척 화가 나 있소. 당신이 그 그룹이 가짜라고 떠들어댔기 때문이지."

"그래서 당신은 지금 날 해치겠다는 겁니까?"

"아니오."

난 놀랐지만 그 이유를 묻고 싶지 않았다. 그가 마음을 바꿀지도 모르기 때문이었다. 난 그저 고마울 따름이었다.

그때 그가 말을 이었다.

"내 어머니가 병원에 입원해 계셨는데 어느날 당신이 찾아와서 함께 얘길 나누고 좋은 글귀를 읽어 주었다더군. 어머니는 자신을 알지도 못하는 아침 방송의 유명한 디스크 자키가 찾아와 그렇게 해 준 것에 무척 감명을 받으셨소. 내가 오하이오 교도소에 있을 때 어머니는 나한테 편지를 보내 당신에 대한 얘길 하셨소. 나 역시 그 일에 감명을 받았고, 언젠가 당신을 만나 보고 싶었소. 그런데 어느날 거리에서 들은 얘긴데 누군가 당신을 해치우려 한다더군. 그래서 내가 그 일을 맡기로 계약을 했소. 그런 다음 사람들에게 말했지. 당신을 내버려 두라고 말이오."

레스 브라운

2달러짜리 지폐

5월도 중순에 접어들 무렵 나는 워싱턴 D.C.를 여행하고 돌아와 월요일 새벽 두 시에 앵커리지에 도착했다. 나는 그날 아침 아홉 시에 그 지역의 한 고등학교에서 미혼모 학생들과 문제아들을 위한 상담 프로그램에서 강연을 하기로 되어 있었다.

상당수의 학생이 범죄 경험이 있는 불량아동들이기 때문에 학교는 경비가 삼엄했다. 이런 상황에서 온갖 인종의 아이들을 모아 놓고 미래의 삶에 희망을 불어 넣는 대화를 시도한다는 것은 애초부터 불가능한 일이었다. 나는 전혀 강연을 진전시킬 수 없었다. 마침내 나는 내가 가장 잘 할 수 있는 방법을 시도하기로 했다.

나는 주머니에서 2달러짜리 지폐 뭉치를 꺼내 학생들에게 나눠 주기 시작했다. 학생들은 처음에는 망설이더니 이내 한 사람씩 나와서 그것을 받아갔다. 난데없이 공짜 돈을 받자 학생들은 서서히 내 말에 관심을 기울이기 시작했다. 단 한 가지, 나는 돈을 주면서 조건을 달았다. 그 돈을 그들 자신을 위해 써서는 안 된다는 것이었다. 그들 각자는 아직 세상에 태어나지 않은 아기들을 갖고 있으니 그 아기들을 위해 써야 한다고 나는 말했다. 내가 그렇게 한 것은 세상에는 누군가 그들을 걱정하고 염려하는 사람이 있다는 사실을 깨닫게 하기 위해서였다. 그것만이 그들의 삶을 붙들어 줄 수 있는 희망이라고 나는 믿었기 때문이다.

돈을 받아가면서 어떤 학생은 내게 사인을 부탁했고, 그렇지 않은 학생도 있었다. 분명히 내 강연이 마음에 와닿은 학생들이 많이 있다는 걸 느낄 수 있었다. 원하는 학생에게는 내가 저술한 책과 그 2달러짜리 지폐를 교환해 주었다. 그렇게 5분 정도가 지난 다음 나는 내 인생에 힘이 되어 준 나의 할아버지에 대해 말하면서 강연을 마쳤다. 나는 그들에게 앞으로 인생에서 어떤 일이 닥치더라도 교사든 누구든 그들을 진정으로 염려하고 그들의 성공을 기도하는 사람이 어딘가에 존재한다는 사실을 기억하라고 말했다.

강연장을 떠나면서 나는 그들에게 말했다. 앞으로 어떤 문제가 일어나거나 어떤 어려움에 처하면 나에게 연락하라고. 내가 도움을 줄 수 있다고 약속할 수는 없지만 그들의 말에 귀를 기울여 주고 세상에서 어떤 할 일이 있는가를 찾아봐 주겠다고. 또 내 책이 필요한 사람은 언제든지 사무실로 연락하면 기꺼이 보내 주겠다고 나는 다짐했다.

그로부터 사흘 뒤, 나는 구겨진 종이조각에 씌어진 한 장의 편지를 받았다. 그것은 그날 내 강연회에 참석한 한 여학생이 보낸 편지였다.

플로이드 씨,

시간을 내어 저희 학교에 와 주셔서 정말 감사합니다. 그리고 저에게 2달러짜리 새 돈을 선물해 주셔서 감사하구요. 전 이것을 영원히 간직할 거예요. 그래서 그 위에다 제 아기의 이름을 적어 놓았어요. 제 아기가 원하고 제 아기에게 필요한 것이 아니면 어떤 다른 것에도 이 돈을 쓰지 않겠어요. 제가 당신께 편지를 쓰는 이유는 이렇습니다. 저희 학교에 오셔서 강연을 하신 그날 아침, 사실 저는 학교에 오기 전에 어떤 결심을 했더랬습니다. 저는 우선 책상을 깨끗이 정리한 뒤 학교에 내야 할 돈을 모두 지불했습니다. 그런 다음 세상에 아직 태어나지도 않은 내 아기와 함께 목숨을 끊을 작정이었습니다. 나를 걱정해 주는 사람을 세상 어디에서도 찾을 수가 없었기 때문입니다. 그런데 당신의 강연을 듣는 순간 내 눈에선 눈물이 흘렀습니다. 누군가 나를 붙잡아 주려는 사람이 있구나, 아직 인생이 그렇게까지 절망적인 것은 아니구나 하고 생각했습니다. 저는 당분간 더 버텨 볼 생각입니다. 세상에는 당신처럼 나를 전혀 알지 못하는데도 불구하고 나 같은 사람을 걱정해 주는 누군가가 있으니까요. 그 점을 다시 한번 감사드려요.

플로이드 L. 쉴란스키

아름다운 희생

린다 버티쉬는 문자 그대로 자기 자신을 온전히 다 내주었다. 린다는 원래 뛰어난 교사였는데, 자기에게 시간이 주어진다면 언젠가 위대한 시와 그림을 창조하리라고 마음먹고 있었다. 그런데 스물여덟살이 되던 해, 그녀는 갑자기 심한 두통을 호소하기 시작했다. 병원 의사는 그녀가 심각한 뇌종양에 걸려 있음을 발견했다. 수술을 해서 살아날 확률은 2퍼센트밖에 안 된다고 병원측은 말했다. 따라서 당장 수술을 하는 것보다는 여섯 달 동안 기다려 보기로 결정이 내려졌다.

린다는 자신 속에 위대한 예술적 재능이 있음을 알고 있었다. 그래서 그 여섯 달 동안 그녀는 열정적으로 시를 쓰고 그림을 그렸다. 그녀가 쓴 모든 시는 한 작품을 제외하고 모두 문학잡지에 게재되었다. 그리고 그녀의 그림은 한 작품만 제외하고 모두 유명한 화랑에서 전시되고 판매되었다.

6개월 뒤 그녀는 수술을 받았다. 수술 전날 밤 그녀는 자기 자신을 다 내주기로 결심했다. 그녀는 유언장에다 썼다. 그녀가 죽을 경우 신체의 모든 장기를 필요로 하는 사람에게 기증하겠다고.

불행히도 수술은 실패했다. 그 결과 그녀의 두 눈은 메릴랜드 베데스다에 있는 안구 은행으로 옮겨졌고, 그곳에서 다시 사우스 캐롤라이나에 있는 한 수혜자에게 기증되었다. 그리하여 28세의 한 청년이 암흑에서 빛을 찾았다. 청년은 너무도 고마움을 느껴 안구 은행에 감사의 편지를 보냈다. 그 편지는 그 안구 은행이 3만 회가 넘는 안구 기증을 주선한 뒤에 받은 두 번째 감사의 편지였다.

나아가 청년은 기증자의 부모에게도 고마움을 표시하기를 원했다. 눈을 기증한 자녀를 두었으니 부모 역시 훌륭한 사람들일 것이라고 청년은 생각했다. 버티쉬 가족의 이름과 주소를 전해 받은 청년은 그들을 만나기 위해 뉴욕 주의 스테튼 아일랜드로 날아갔다. 그는 예고도 없이 도착해 벨을 눌렀다.

청년의 자기 소개를 들은 버티쉬 부인은 두 팔을 벌려 청년을 포옹했다. 그녀는 말했다.

"젊은이, 마땅한 곳이 없거든 우리집에서 주말을 보내요. 내 남편도 그걸 원하니까."

그래서 청년은 그 집에 머물기로 했다. 린다가 쓰던 방을 둘러보던 청년은 그녀가 수술을 받기 전에 플라톤을 읽고 있었다는 걸 알았다. 그 역시 같은 무렵 점자책으로 플라톤을 읽고 있었다. 그녀는 또 헤겔을 읽고 있었다. 그도 점자책으로 헤겔을 읽고 있었다.

다음 날 아침 버티쉬 부인이 청년을 쳐다보며 말했다.

"어디선가 젊은이를 본 적이 있는 것만 같아요. 그런데 그곳이 어딘지 생각이 안 나요."

그러더니 그녀는 갑자기 기억을 해냈다. 그녀는 위층으로 달려가 린다가 그린 마지막 그림을 가져왔다. 그것은 그녀가 생각하는 이상적인 남자의 초상화였다. 그림의 주인공은 린다의 눈을 기증받은 그 청년과 놀라울 정도로 닮아 있었다.

린다의 어머니는 린다가 임종의 자리에서 마지막으로 쓴 시를 젊은이에게 읽어 주었다. 그것은 다음과 같다.

밤을 여행하던 두 눈이
사랑에 빠졌어라
서로의 얼굴을 한 번 바라볼 수도 없이

잭 캔필드
마크 빅터 한센

2

아이들에 대하여

아이들은 당신이 제공한

물질적인 것을 기억하지는 않을 것이다.

아이들은 당신이 그들을 소중히 여긴 사실을

잊지 않고 기억할 것이다.

내가 빚진 것

사람들의 지갑이나 수첩 속을 들여다보면 신용카드와 가족 사진, 그리고 교통 경찰에게 떼인 속도 위반 딱지 등을 발견하기 마련이다. 또 더 깊은 곳에는 귀퉁이가 닳은, 작은 종이쪽지에 적힌 애송시가 있을 것이다.

그런데 지난 번에 지갑 속을 정리하다가 나는 한 묶음의 차용 증서를 발견했다. 그것은 지불기한이 30년도 지난 것들이었다. 그리고 더 재미있는 것은 그 차용증들이 모두 한 사람에게 갚아야 할 빚이라는 것이었다. 나는 이제야말로 그 빚을 갚아야 할 시기라고 생각한다.

엄마, 제 말 듣고 계세요?

엄마, 전 엄마에게 너무 많은 걸 빚졌어요. 엄마는 절 위해 수많은 봉사를 해주셨죠. 예를 들어 엄마는 언제나 저를 위한 야간 불침번이셨어요. 제가 기침을 하거나, 울거나, 늦게 귀가하거나, 마룻바닥을 삐걱대며 걸어가면 언제라도 엄마는 잠에서 깨셨죠.

엄마는 독수리의 눈과 사자의 용기를 가지셨지만 언제나 대저택보다도 더 큰 가슴을 갖고 계셨어요.

엄마는 저에게 가장 신속한 주방장이자 요리사였죠. 한 조각 남은 쇠고기로 훌륭한 스테이크를 만드는가 하면 참치로 칠면조 요리를 만들어 내기도 하셨고, 전날 남긴 음식만으로도 곰 같은 몸집을 한 두 아들의 허기를 채워 주셨어요.

또 저는 엄마에게 세탁 서비스와 저의 목욕 서비스를 빚졌어요. 엄마는 날마다 저의 얼굴과 귀를 박박 문질러 닦아 주셨고, 모두 손으로 그렇게 하셨죠. 또한 어린 아들의 바지를 자주 세탁해서 그 아들이 오점 없는 삶을 살도록 인도해 주셨어요. 그리고 어린시절의 눈물을 말려 주고 사춘기 시절의 문제들까지 다리미질해 주셨어요. 그런 것들은 어떤 세탁소도 할 수 없는 일이었어요.

엄마는 또 저에게 보디가드가 되어 주셨어요. 천둥과 악몽의 두려움으로부터 절 보호해 주셨고, 수많은 풋과일로부터도 보호해 주셨어요.

또 제가 엄마에게 의료 봉사를 빚지고 있음을 신께서도 알고 계세요. 엄마는 저를 홍역과 유행성 이하선염과 타박상과 나무 가시와 사춘기의 우울증으로부터 치료해 주셨어요. 또한 자꾸 긁으면 더 낫지 않는다거나, 눈을 자꾸 삐딱하게 뜨면 사시가 된다는 의학적 충고도 빼놓을 수 없어요. 아마도 가장 중요한 충고는 사고를 당할 때를 대비해서 깨끗한 속옷을 입고 다녀야 한다는 것이겠죠.

또한 저는 엄마에게 온갖 동물 치료를 빚지고 있어요. 엄마는 제가 데리고 오는 온갖 집 잃은 동물들을 먹여 주셨고, 강아지와도 같은 저의 풋사랑의 고통도 치료해 주셨어요.

저는 또 엄마에게 온갖 놀이에 대한 봉사를 빚지고 있어요. 엄마는 어떤 어려운 시련기에도 집안을 즐겁게 유지하고자 노력하셨고, 크리스마스나 독립 기념일이면 온 가족을 위해 파티를 마련하셨어요. 또한 가장 적은 예산으로 우리의 공상이 실현될 수 있게 해주셨어요.

엄마는 저에게 모든 공작물 만들기를 해주셨어요. 연을 만들어 주셨고, 자신감과 희망과 꿈을 세워 주셨어요. 그래서 그것들이 하늘에 가닿도록 하셨어요. 또한 엄마는 온 가족이 하나로 결합될 수 있게 하셨고, 그래서 어떤 나쁜 시련과 위기까지도 이겨낼 수 있게 하셨으며, 삶이 그 튼튼한 토대 위에 설 수 있게 하셨어요.

전 또 엄마에게 너무 많은 경제적 부담을 안겨 드렸어요. 커나가는 아이가 갖고 싶어할 수밖에 없는 온갖 필요한 물건들 때문에 엄마는 가계부와 씨름을 해야만 하셨어요. 재크 나이프를 꽂을 수 있도록 작은 주머니가 달린 굽 높은 부츠 같은 것 때문에 말예요. 또 한 가지 제가 결코 잊을 수 없는 게 있어요. 사과 파이가 두 조각밖에 없는데 사람이 세 사람일 경우가 되면 엄마는 갑자기 자신은 사과 파이를 싫어하니까 너희들 둘이 먹으라고 하셨죠.

이것이 내가 너무도 오랫동안 갚지 않은 차용증서의 내용이다. 게다가 여기에 적은 것들은 그 일부분에 불과하다. 어머니는 너무도 적은 보수로 이 모든 봉사를 하셨다. 자신에게 필요한 수많은 것들을 희생함으로써 어머니는 그렇게 하실 수 있었다.

내가 아무리 갚아도 차용증서에 적힌 것을 다 보상할 수는 없으리라. 그러나 무엇보다 멋진 일은 내가 키스 한 번만 해드리면 엄마는 그 모든 빚을 면제해 주시리라는 것이다. 그리고 내가 이렇게 두 마디만 하면.

엄마, 사랑해요.

작자 미상

만일 내가 다시 아이를 키운다면

만일 내가 다시 아이를 키운다면
먼저 아이의 자존심을 세워 주고
집은 나중에 세우리라.
아이와 함께 손가락 그림을 더 많이 그리고,
손가락으로 명령하는 일은 덜 하리라.
아이를 바로잡으려고 덜 노력하고,
아이와 하나가 되려고 더 많이 노력하리라.
시계에서 눈을 떼고 눈으로 아이를 더 많이 바라보리라.
만일 내가 다시 아이를 키운다면
더 많이 아는 데 관심 갖지 않고,
더 많이 관심 갖는 법을 배우리라.
자전거도 더 많이 타고 연도 더 많이 날리리라.
들판을 더 많이 뛰어다니고 별들을 더 오래 바라보리라.
더 많이 껴안고 더 적게 다투리라.
도토리 속의 떡갈나무를 더 자주 보리라.

덜 단호하고 더 많이 긍정하리라.
힘을 사랑하는 사람으로 보이지 않고
사랑의 힘을 가진 사람으로 보이리라.

다이아나 루먼스

우리는 꽃이 아니라 아이를 키우고 있다

옆집에 사는 데이빗은 다섯살과 일곱살짜리 아이를 키우고 있다. 하루는 그가 앞마당에서 일곱살 먹은 아들 켈리에게 잔디 깎는 기계 사용하는 법을 가르치고 있었다. 잔디밭 끝에 이르러 어떻게 기계를 돌려 세우는지를 설명하고 있는데 그의 아내 잔이 뭔가 물으려고 그를 소리쳐 불렀다. 데이빗이 질문에 대답하기 위해 고개를 돌리고 있는 사이에 어린 켈리는 잔디 깎는 기계를 몰고 잔디밭 옆에 있는 화단으로 곧장 질주해 버렸다. 그 결과 화단에는 50센티 폭으로 시원하게 길이 나 버렸다.

고개를 돌리고 무슨 일이 일어났는지 본 데이빗은 순간적으로 이성을 잃었다. 데이빗은 수많은 시간과 노력을 들여 그 화단을 가꾸었으며 이웃의 시샘을 한 몸에 받아온 터였다. 그가 아들을 향해 소리를 내지르려는 순간 재빨리 잔이 달려와 그의 어깨에 손을 얹으며 말했다.

"여보, 잊지 말아요. 우린 꽃을 키우는 게 아니라 아이들을 키우고 있어요."

112

잔의 그 말을 들으면서 나는 자식을 가진 모든 부모들에게 가장 우선적인 사항이 무엇이어야 하는가를 깨달았다. 아이들의 자존심은 그들이 부수거나 망가뜨린 그 어떤 물건보다도 중요하다. 야구공에 박살난 유리창, 부주의해서 쓰러뜨린 램프, 부엌 바닥에 떨어진 접시 등은 이미 깨어졌다. 꽃들도 이미 죽었다. 그렇다고 해서 거기에다 아이들의 정신까지 파괴하고 그들의 생동감마저 죽여서야 되겠는가?

*

몇 주 전에 나는 스포티하게 입을 수 있는 웃옷을 사러갔다가 가게 주인인 마크 마이클과 함께 아이들 키우는 문제에 대해 대화를 나누었다. 그는 일전에 아내와 일곱살짜리 딸아이를 데리고 저녁 외식을 하러 갔었다고 했다. 그런데 딸이 식탁에서 물컵을 엎질렀다. 식탁을 닦고 나서도 부모가 전혀 나무라지 않자 딸은 부모를 쳐다보며 이렇게 말했다.

"엄마 아빠가 다른 부모들처럼 하지 않아서 정말 고마워요. 내 친구의 부모들은 대개 큰소리를 지르고, 주의하라고 설교를 늘어놓죠. 저한테 그렇게 안해 주셔서 정말 고마워요."

얼마 전에 내가 다른 친구 가족과 식사를 할 때도 비슷한 일이 일어났다. 다섯살짜리 그 집 아들이 우유잔을 엎질렀다. 부모가 즉각적으로 아이에게 주의를 주려고 하는 순간 난 일부러 내 물컵을 엎질렀다. 내가 마흔여덟살을 먹었는데도 이렇게 자꾸만 컵을 쓰러뜨린다고 설명하고 있는 동안에 그집 아들은 내 의도를 눈치채고 내게 감사의 윙크를 보냈다. 우리가 아직도 삶을 배워 나가고 있는 중이라는 사실을 잊기란 얼마나 쉬운가.

*

최근에 나는 스티븐 글렌으로부터 어느 유명한 과학자에 대한 이야기를 들었다. 그 과학자는 매우 중요하고 획기적인 의학적 발견을 많이 이룬 사람이었다. 한 신문과의 인터뷰에서 그는 기자로부터 평범한 사람들보다 훨씬 더 창조적이 될 수 있었던 비결을 말해 달라는 질문을 받았다. 어떤 것이 그를 그렇게 특별한 인간으로 만들었는가?

이 질문에 그는 자신이 네살이었을 때 어머니와 함께 나눈 경험을 예로 들었다. 어느날 그는 냉장고에서 우유병을 꺼내다가 그만 바닥에 떨어뜨리고 말았다. 미끄러운 우유병은 바닥에 떨어지면서 주방 바닥 전체를 흰 우유 바다로 만들었다.

주방으로 들어온 그의 어머니는 그에게 고함을 치고 훈계를 늘어 놓는 대신 이렇게 말했다.

"로버트, 도대체 무슨 걸작품을 만들어 놓은 거니! 이런 엄청난 우유 바다는 처음 보는구나. 어쨌든 이미 저질러진 일이니, 네 맘껏 우유를 갖고 놀아봐라. 그런 다음 닦아내자꾸나."

실제로 그는 엄마의 말대로 바닥에 쏟아진 우유를 갖고 장난을 치며 놀았다. 몇 분 뒤 어머니가 말했다.

"로버트, 이렇게 어질러 놓은 다음에는 반드시 깨끗이 치우고 제자리에 돌려놔야 한다는 걸 너도 알겠지. 그런데 어떤 식으로 치웠으면 좋겠니? 스폰지를 쓸까, 아니면 수건이나 막대걸레를 써서 치울까? 어느 쪽이 네 맘에 드니?"

그는 스폰지를 선택했고, 그래서 두 사람은 함께 엎질러진 우유를 닦아냈다. 그런 다음 그의 어머니가 말했다.

"잘 들어봐. 넌 작은 손으로 큰 우유병을 드는 실험에서 실패한 거나 마찬가지야. 우리 뒤뜰로 가서 병에 물을 채워 갖고 다시 한번 시도해 보자. 병을 떨어뜨리지 않고 그걸 옮길 수 있는 방법을 네가 발견하도록 말이다."

그 결과 어린 소년은 두 손으로 병의 주둥이를 잡으면 그걸 떨어뜨리지 않고 옮길 수 있다는 걸 배웠다. 얼마나 훌륭한 교육 방법인가!

이 유명한 과학자는 그 일을 통해 실수를 두려워할 필요가 없다는 걸 알았다고 말했다. 그 대신 실수가 어떤 새로운 걸 배우는 기회임을 그는 깨달았다. 과학 실험이라는 것이 바로 그런 것 아닌가. 어떤 실험이 제대로 성공하지 않을지라도 우리는 그것으로부터 가치 있는 어떤 걸 배우기 마련이다.

모든 부모가 로버트의 어머니처럼 아이를 키운다면 굉장한 사회가 되지 않겠는가?

＊

아이들이 아니라 어른들의 관계에서 이런 자세를 적용시킨 한 예가 여기에 있다. 이것은 몇 해 전 라디오 방송에서 폴 하비가 들려준 얘기다. 한 젊은 여성이 직장일을 마치고 집으로 차를 몰고 가던 도중에 다른 차의 범퍼를 들이받았다. 그녀의 차도 앞범퍼가 크게 부서졌다. 그녀가 운전하던 차는 출고된 지 며칠밖에 되지 않은 새 차였기 때문에 그녀는 하늘이 무너지는 것 같았다. 이 실수를 남편에게 어떻게 설명한단 말인가?

상대편 차의 운전사는 그녀의 사정을 딱하게 여겼지만 사건 처리를 위해 서로의 운전면허 번호와 자동차 등록증 번호를 교환해야 한다고 설명했다. 그래서 그 젊은 여성은 등록증을 꺼내기 위해 차 안에 있는 커다란 갈색 봉투를 열었다. 그때 종이쪽지 하나가 봉투에서 떨어졌다. 그 쪽지에는 남성의 큼지막한 필체로 다음과 같이 적혀 있었다.

"사고가 날 경우에 이것을 잊지 말아요, 여보. 내가 사랑하는 건 차가 아니라 당신이라는 걸!"

*

우리의 아이들의 정신은 어떤 물질보다도 소중하다는 사실을 항상 기억하자. 우리가 그렇게 할 때 아이들은 스스로를 소중하게 여길 것이며, 그들의 가슴 속에는 어떤 화단보다도 아름다운 사랑의 꽃이 피어날 것이다.

잭 캔필드

그는 아직 어린아이다

그는 지금 타석에 서 있다
가슴이 방망이질을 하고 있다.
지금은 만루의 찬스,
주사위는 던져졌다.
엄마와 아빠도 그를 도울 수 없다.
그는 완전히 혼자다.
한 방만 날리면
주자들을 모두 홈으로 불러들일 수 있다.
투수가 볼을 던진다.
그는 방망이를 휘두르지만 헛 스윙이다.
관중들의 한숨소리가 울려퍼지고
야유의 함성도 들린다.
어떤 무지막지한 목소리는 이렇게 소리친다.
"애숭이를 삼진 아웃시켜 버려!"
눈물이 글썽거린다.

그에게는 이제 더 이상 이 경기가 재미가 없다.
그는 그만 달아나고 싶다.
그러나 그럴 수도 없는 일.
그러니 당신의 마음을 열고
그에게 잠시 휴식을 주라.
이런 순간은 어른조차 감당하기 어려운 것.
누군가 잊어버릴 때마다
이것을 기억하라.
그는 어른이 아니라 아직 어린애라는 사실을.

밥 폭스 신부

부탁이에요, 아빠

이상한 일이다. 그런 것들만 기억에 남다니. 인생이 갑자기 무너져내리고 당신 혼자 그곳에 남겨졌을 때, 그때 당신의 머릿속에 기억되는 것들은 뭔가 크고 중요한 일들이 아니다. 한 해의 계획이라든가, 당신이 성취하기 위해 그토록 애썼던 어떤 희망들이 아니다. 당신의 기억에 떠오르는 것들은 모두 사소하고 하찮은 것들이다. 그 당시에는 당신이 주목하지도 않았던 사소한 것들 말이다. 당신이 너무 바빠서 별로 주목하지도 않았던, 당신 손을 만지던 어떤 손의 감촉. 또는 당신이 귀 담아 듣지도 않던, 희망에 찬 그 어린 목소리의 억양.

거실 창문을 통해 화요일 오후의 활기에 찬 거리 풍경을 응시하면서 존 카모디는 그 사실을 깨달았다. 그는 지금은 잃어버린 어떤 크고 중요한 일들을 생각하려고 노력했다. 지나간 세월들, 계획들, 희망과 사랑. 하지만 그는 지금은 그것들에 생각을 집중할 수가 없었다. 적어도 이 오후엔 그것이 불가능했다.

그 중요한 것들은 그의 마음 뒤편에 깔린 먼 성운들과도 같았다. 그리고 지금 그가 기억할 수 있는 것들은 이상하게도 매우 사소한 것이었다. 지나간 세월들과 인생의 설계와 크나큰 사랑들의 관점에서 보면 그것은 실제로 전혀 중요하지 않은 것이었다. 그것은 바로 이주 전, 어쩌면 삼주 전 저녁에 그의 어린 딸이 그에게 한 말일 뿐이었다. 이성적으로 분석하면 그것은 큰 의미가 담긴 게 아니었다. 보통의 아이들이 늘 하는 그런 종류의 말에 불과했다.

하지만 지금 그에게 기억나는 것은 그것뿐이었다.

그 특별한 날, 그는 정기 주주 총회에서 보고할 원고 초안을 들고 집으로 돌아왔다. 그것은 매우 중요한 원고였다. 그것의 성공 여부에 그의 미래가 달려 있고, 그의 아내와 어린 딸의 미래도 달려 있었다. 그는 저녁 식사 전에 그것을 재검토하기 위해 책상 앞에 앉았다. 모든 것이 정확하고 빈틈없어야 했다. 그만큼 그것은 그에게 중요한 사안이었다.

그가 원고의 첫 장을 막 넘기려는 순간에 어린 딸 마가렛이 책한 권을 옆에 끼고 들어왔다. 동화 그림이 풀로 붙여진 초록색 표지의 책이었다.

마가렛이 말했다.

"아빠, 이 책 좀 봐 주세요."

그는 흘낏 책을 바라보고 나서 말했다.

"좋은 책이구나. 새 책이니?"

"네, 아빠."

마가렛은 말했다.

"이 책 좀 읽어 주세요."

그가 말했다.

"안 된다, 얘야. 지금은 안 돼."

그가 주주들에게 보고할, 공장의 기계 교체에 대한 문장을 검토하고 있는 동안 마가렛은 그 자리에 그냥 서 있었다. 곧이어 소심하면서도 기대에 찬 마가렛의 목소리가 다시 들렸다.

"아빠가 읽어 주실지도 모른다고 엄마가 그랬단 말예요."

그는 타이핑된 원고 너머로 딸을 쳐다보면서 말했다.

"미안하다, 얘야. 책은 엄마가 읽어 주실 거야. 난 지금 무척 바쁘거든."

마가렛이 공손하게 말했다.

"아녜요. 엄마가 훨씬 더 바쁘세요. 한 가지만 읽어 주세요. 보세요, 그림이 있어요. 정말 예쁜 그림이죠, 아빠?"

"오, 그래. 예쁜 그림이구나."

그가 말했다.

"정말 잘 그린 그림이야. 하지만 아빠는 오늘 밤 할 일이 있단다. 이 다음에……"

그런 뒤에 오랜 침묵이 흘렀다. 마가렛은 예쁜 그림이 그려진 페이지를 펼쳐든 채로 그곳에 서 있었다. 한참동안 마가렛은 아무 말도 하지 않았다. 그는 지난 12개월 동안의 마케팅 변동 사항과 지역적인 조건 변화에 따른 원인, 그리고 자사 상품 구매를 높이기 위한 수주간의 회의에서 얻어낸 광고 전략 등이 적힌 두 페이지에 걸친 원고를 자세히 읽어내려갔다.

"하지만 정말 예쁜 그림이잖아요, 아빠. 이야기도 얼마나 재미 있는데요."

마가렛이 다시 말했다.

"나도 안다."

그가 마지못해 대꾸했다.

"음…… 이 다음에 꼭 읽어주마. 지금은 혼자서 놀아라."

마가렛은 물러나지 않았다.

"아빠도 분명히 재미있어 할 거예요."

"그래? 물론 그럴 거야. 하지만 나중에…… ."

"음, 좋아요."

마가렛이 마침내 말했다.

"그럼 다음에 꼭 읽어 주실 거죠?"

"그야 물론이지. 약속하마."

하지만 마가렛은 가지 않았다. 그냥 착한 아이처럼 그 자리에 조용히 서 있었다. 한참 뒤 마가렛은 그의 발치에 있는 걸상에 책을 내려놓으며 말했다.

"시간이 나셨을 때 아빠 혼자서 읽으세요. 하지만 제가 들을 수 있도록 큰소리로 읽으셔야 해요. 알겠죠?"

"그래, 알았다. 나중에 큰소리로 읽을께."

이것이 지금 존 카모디의 머릿속에 떠오르는 것이었다. 미래의 인생 설계 같은 게 아니었다. "혼자서 큰소리로 읽어 주세요. 저도 들을 수 있도록 큰소리로 말예요."하고 말하면서 수줍은 듯 그의 손을 건드리던 예의 바른 딸아이의 손길이 지금 그의 기억을 붙들고 있었다.

그래서 그는 마가렛이 쓰던 장난감들이 쌓여 있는 구석의 테이블에서 그 책을 집어들었다. 그 책은 이제는 새 책이 아니었다. 초록색 표지에는 얼룩이 생겼다. 그는 책을 들어 예쁜 그림이 그려진 페이지를 펼쳤다.

이야기를 읽어내려가는 동안 그의 입술은 단어들을 발음하느라 고통스럽게 일그러졌다. 그는 더 이상 아무 생각도 할 수 없었다. 늘 그랬던 것처럼 인생의 중요한 것들, 미래에 대한 그의 신중한 계획들, 그런 것들을 아무것도 기억할 수 없었다. 그리고 잔뜩 술에 취해 중고차를 몰고 거리를 질주한, 지금은 살인죄로 감옥에 갇힌 그 미친 운전사에 대한 증오의 감정도 잠시동안 잊을 수 있었다.

그는 마지막으로 마가렛과 함께 있기 위해 옷을 입고 현관에서 조용히 기다리고 있는 아내에 대한 것도 깜박 잊었다.

"어서 가요, 여보. 이러다 늦겠어요."

아내가 나즈막히 그를 재촉했지만 그는 그 소리조차 듣지 못했다. 존 카모디는 지금 동화책을 읽고 있는 중이었다.

"옛날에 검은 숲 속의 나무꾼 집에 한 소녀가 살고 있었어요. 소녀는 너무도 예뻤기 때문에 새들도 나뭇가지에서 소녀를 쳐다보느라 노래 부르는 걸 잊을 정도였어요. 그런데 어느날……"

그는 혼자서 그 책을 읽었다. 마가렛도 들을 수 있도록 큰소리로. 어쩌면 정말로 마가렛이 듣고 있을지도 모르니까.

마이클 포스터
영스터 신문
마틴 루브 제공

아빠는 그렇게 하지 않았어요

저번 날 저는 아빠를 바라보며 미소를 지었어요.

전 아빠가 절 바라보실 줄 알았지만 아빠는 그렇게 하지 않으셨어요.

저는 아빠에게 "사랑해요."하고 말하고는 아빠가 무슨 말을 해주시기를 기다렸어요.

전 아빠가 제 말을 듣고 있다고 생각했지만 아빠는 그렇게 하지 않으셨어요.

전 아빠에게 밖으로 나가서 저와 함께 공놀이를 하자고 부탁했어요.

전 아빠가 절 따라 밖으로 나오실 줄 알았지만 아빠는 그렇게 하지 않으셨어요.

전 아빠가 봐 주시길 기대하며 그림을 그렸어요.

전 아빠가 그 그림을 간직할 줄 알았지만 아빠는 그렇게 하지 않으셨어요.

전 집 뒤의 빈터에다 야영 장소를 만들었어요.

전 아빠가 저와 함께 하룻밤 캠핑을 할 줄 알았지만 아빠는 그렇게 하지 않으셨어요.

전 낚시하는 데 쓸 지렁이를 잡았어요.

전 아빠가 함께 낚시를 가 주실 줄 알았지만 아빠는 그렇게 하지 않으셨어요.

전 아빠와 대화하면서 제 생각을 나누고 싶었어요.

전 아빠도 그걸 원하시는 줄 알았지만 아빠는 그렇게 하지 않으셨어요.

전 아빠가 와 주시길 기대하며 제가 참가하는 경기 일정을 말씀드렸어요.

전 아빠가 꼭 오실 줄 알았지만 아빠는 그렇게 하지 않으셨어요.

전 아빠와 함께 저의 젊음을 나누고 싶었어요.

전 아빠도 그걸 원하시는 줄 알았지만 아빠는 그렇게 하지 않으셨어요.

조국이 저를 불러 저는 국방의 의무에 따라 전쟁터로 떠났어요.

아빠는 저에게 무사히 집으로 돌아오라고 말했지요.

하지만 전 그렇게 하지 못했어요.

스탠 게브하르트

졸업

　"여러분들에게 1978년도 드레이크 대학의 졸업생들을 소개하게 된 것을 큰 기쁨으로 생각하는 바입니다. 이 학생들은 성공적으로 대학 과정을 끝마치고 지금 이 자리에 섰습니다. 한 사람씩 앞으로 나오세요. 마이클 아담스 군. 축하하네, 마이클. 마가렛 알렌 양. 축하해요, 마가렛."

　세상에 그런 고집쟁이가 또 있을까! 내가 대학 공부를 하느라 겪은 고통을 짐작조차 못 한단 말인가? '만일 그것이 그만큼 중요한 일이라면 너 스스로 해내거라.' 어떻게 그런 말을 나한테 할 수 있을까?

　"존 앤더슨 군. 축하하네, 존. 베티……."

　언젠가는 나 혼자 힘으로 이 일을 해낸 걸 알게 될 날이 오겠지 그때가 되면 자신이 그 일부분이 되어 주지 못한 걸 후회하겠지. 내가 신입생이 되고, 2학년이 되고, 3학년, 4학년, 그리고 마침내 졸업생이 되기까지 나를 뒷바라지해 주지 못한 걸 후회하고 미안하게 생각할 거야.

126

"베티 버레스 양. 축하……."

마침내 내 이름이 호명되었다. 드디어 해낸 것이다! 한없이 애매하고 관료적인 장애물들을 넘어 졸업장을 손에 넣게 되었다. 대학이란 마치 스트레스에 견디는 능력을 시험하는 장소인 듯했다. 4년 동안의 힘겨운 노력 끝에 이제 졸업장은 내 것이 되었다. 내 이름이 새겨진 두루마리 졸업장이 그것을 확인시켜 주리라. 정말 고맙군요, 아빠! 난 아빠가 절 도와 주실 줄 알았어요. 저를 자랑스럽게 여기고, 특별한, 정말 특별한 사람으로 생각해 주길 바랬어요. 어렸을 때 저에게 자신이 원하는 걸 성취하라고 역설하던 그 가르침은 다 어디로 갔나요? 인생의 원칙과 목적, 도덕성, 수행 등은 어디로 갔죠? 그동안 아버지로서 저에게 해 주시던 격려의 말들은요? 도대체 무엇이 그토록 중요하길래 학부모의 날에 다른 부모들은 다 참석하는데 아빠는 왜 모습조차 볼 수 없었죠?

그리고 지금, 졸업식에조차 나타나지 않다니! 오늘 이보다 더 중요한 다른 일이 있단 말인가요? 당신의 딸이 인생에서 가장 기념비적인 순간을 맞이하는데 잠시라도 시간을 낼 수 없었단 말인가요?

"축하해요, 베티 양."

나는 마지막 희망을 버리지 못한 채 수천 명이 넘는 청중들 속으로 눈길을 돌렸다. 아버지의 모습은 어디에도 없었다. 당연한 일이지. 나의 졸업식은 우연히도 부모님의 여섯번째 자식의 생일과 한 날이었고, 농사 짓는 집안답게 그밖에도 많은 할 일이 있었다. 그렇지만 나의 대학 졸업식을 다른 일상적인 일들보다 우선적으로 취급해야 한다는 생각이 안 들었단 말인가.

"클라임 에브리 마운틴, 포드 에브리 스트림(모든 산을 오르고, 모든 강을 건너라)⋯⋯ ."

졸업식 노래가 울려퍼지고 있었다. 진부한 곡이었다. 그리고 그 노래는 나에게 고통만 안겨 주었다.

"팔로우 에브리 레인보우, 틸 유 파인 유어 드림(모든 무지개를 따라가라, 너의 꿈을 발견할 때까지)⋯⋯ ."

그날 102명의 새로운 졸업생들이 단상을 향해 나아갔다. 운집한 군중들 속에는 그들 모두의 부모가 와 있었다. 모든 졸업생이 자신의 졸업 증서를 받아든 다음 졸업생 일동은 자리에서 일어나 긴 복도를 행진했다. 모두들 어서 빨리 땀이 밴 졸업 가운과 따끔거리는 옷핀에서 벗어나 가족들이 베푸는 축하 파티로 달려가고 싶었다. 난 그만큼 외로움이 커졌다. 슬프고, 화가 났다. 난 아버지에게 한 번도 아니고 두 번씩이나 졸업식 초대장을 보냈다. 그만큼 아버지가 졸업식에 참석해 주길 바랬던 것은 아니다. 난 다만 아버지가 필요했다. 매우 특별한 어떤 것이 성취되는 것을 아버지가 지켜봐 주기를 난 바랐다. 아버지가 나에게 주입시킨 그 모든 꿈과 야망과 목표들의 결과를 말이다. 아버지가 나의 성취를 인정해 주는 것이 나에게 얼마나 중요한 의미를 갖는가를 아버지는 모르셨단 말인가? 단지 말뿐이셨나요 아니면 진심이셨나요, 아빠?

"아빠, 꼭 오실 거죠? 대학 졸업이 인생에 여러 번 있는 것도 아니잖아요."

난 거의 애원하다시피 했다.

"우리가 네 졸업식에 참석하는 건 그날 우리가 농장에 나가야 하느냐 아니냐에 달려 있다."

아버지는 말했다.

"만일 그날이 씨 뿌리기에 좋은 날이면 우린 짬을 낼 수가 없다. 벌써 여러 날을 비 때문에 씨 뿌릴 기회를 놓쳤지 않니. 더 이상 미루다간 한 해 농사를 망치게 돼. 만일 그날 비가 온다면 한번 생각해 보마. 하지만 너무 기대하진 마라. 너도 알다시피 거기까지 가는 데 자동차로 두 시간이나 걸리지 않니."

하지만 난 기대를 버리지 않았다. 그만큼 그건 중요한 일이었다.

"클라임 에브리 마운틴, 포드 에브리(모든 산을 오르고, 모든 강을)……."

졸업생들의 부모와 조부모와 친척들 모두가 미소를 머금은 채 자신들의 자식을 찾느라 긴장한 얼굴로 두리번거렸다. 또 이미 자식을 발견한 부모들은 한 장의 소중한 사진을 찍기 위해 정중하게 예의를 갖춰 가며 다른 사람들에게 비켜서 달라고 부탁을 하는 중이었다. 어머니, 아버지, 조부모, 형제 자매, 삼촌과 숙모들이 자부심 가득한 표정으로 졸업생을 에워쌌다. 그들의 눈물은 행복의 눈물이었으나, 나는 극도의 실망감과 고립감에서 오는 눈물을 애써 감춰야만 했다. 내가 혼자가 된 것 같은 느낌을 받은 게 아니었다. 나는 말 그대로 철저히 혼자였다.

"팔로우 에브리 레인보우(모든 무지개를 따라가라)……."

대학 총장에게서 미래의 세상으로 나아가는 티켓에 해당하는 졸업 증서를 받고 정확히 스물일곱 걸음을 떼어놓았을 때였다.

"베티!"

어떤 부드러운 목소리가 다급하게 날 불러세웠다. 낙담해 있
던 나는 화들짝 놀랐다. 아버지의 부드러운 목소리가 수많은 군
중들의 우레와 같은 박수소리를 뚫고 내 귀에 들려온 것이다. 그
때 내 눈에 들어온 장면을 난 결코 잊지 못하리라. 복도 저쪽, 졸
업생들이 앉은 좌석 맨 끝에 아버지가 앉아 있었다. 내가 성장하
면서 지켜본 그 대담하고 불 같은 남자에 비하면 그때의 아버지
는 왠지 왜소하고 수줍은 시골 사람처럼 보였다. 아버지의 눈은
충혈되어 있었고 눈물이 얼굴을 타고 내려와 새로 맞춘 게 틀림
없는 푸른색 양복 상의로 떨어지고 있었다. 아버지는 약간 고개
를 숙이고 계셨다. 그러나 얼핏 드러난 그 얼굴은 수많은 것을
말해 주고 있었다. 아버지는 무척 초라해 보였지만, 자랑스런 딸
을 둔 기쁨으로 가득 차 있었다.

나는 아버지가 우시는 것을 전에 딱 한 번 본 적이 있었다. 그
러나 지금은 주체할 수 없을 정도로 많은 눈물을 흘리고 계셨다.
그토록 자존심 강한 양반이 눈물을 흘리는 걸 보는 순간 나 역시
잔뜩 억제하고 있던 감정의 둑이 순식간에 무너졌다.

순간 아버지가 몸을 일으키셨다. 나는 감정에 휩싸인 채 그 감
동적인 순간에 남들이 하는 대로 행동했다. 나는 졸업 증서를 아
버지에게 내밀었다.

"이건 아빠를 위한 거예요."

내 목소리에는 사랑과 오만과 복수의 감정, 그리고 감사와 자
부심 같은 것이 뒤섞여 있었다.

"아니다. 이건 널 위한 거다."

아버지의 목소리에는 오직 부드러움과 사랑만이 담겨 있었다. 아버지는 얼른 코트 호주머니 속에 손을 넣더니 봉투 하나를 꺼냈다. 그리고는 어색한 동작으로 그 크고 투박한 손을 내밀어 내게 건네 주었다. 그리고 다른 손으로는 여전히 눈가에서 흘러내리는 눈물을 닦았다. 그것은 내 인생에서 가장 강렬하고 감동적인 10초였다.

졸업식 일정은 계속되었다. 그날 아버지가 어떻게 졸업식장에 도착했을까를 꿰맞추느라 내 마음은 달음질쳤다. 두 시간 동안 차를 몰고 오면서 어떤 생각을 하셨을까. 내가 다닌 대학을 찾느라 많이 헤매셨을까. 졸업생들과 학부모들을 위한 지정 좌석을 헤치고 앞으로 나오는 것도 쉽지 않은 일이었겠지.

아버지가 오신 것이다! 그날은 봄이 선물한 최고의 날이었다. 씨 뿌리기에 더할 나위 없이 좋은 날이었다. 그럼에도 불구하고 아버지는 와 주신 것이다. 그리고 새 양복을 맞추시다니! 내가 기억하는 한 아버지는 벤 삼촌의 장례식날 입으려고 한 벌을 맞추신 적이 있었다. 그리고 십년 뒤쯤 언니의 결혼식 때 입기 위해 한 벌을 새로 맞추셨다. 이 농부에게 양복은 별로 중요한 게 아니었다. 게다가 양복이 없으면 그것을 구실로 원하지 않는 곳에 참석하지 않을 수가 있었다. 따라서 새 양복을 사 입었다는 것은 매우 중요한 경우임을 의미했다. 아버지가 오신 것이다. 그것도 새 양복을 입고서.

"틸 유 파인 유어 드림(너의 꿈을 발견할 때까지)……."

나는 흥분해서 자신도 모르게 잔뜩 움켜쥐고 있는 그 봉투로 눈길을 돌렸다. 지금까지 아버지로부터 카드나 메모쪽지 한 장

받아본 적이 없는 나로선 그걸 어떻게 해석해야 할지 알 수 없었다. 내 상상력은 온갖 가능성으로 뒤범벅이 되었다. 서명이 곁들여진 축하 카드일까? E.H.버레스가 자신의 이름으로 서명을 한다는 것은 매우 드문 일이었다. 모두가 이 남자와 거래할 때는 악수만으로도 충분하다는 걸 알고 있었다. 그 악수는 다른 사람의 서명보다 더 큰 신뢰성을 갖고 있었다. E.H.버레스가 구두로 약속을 하면 그것은 이미 거래가 성사된 것이었다. 어떤 은행 직원도 제2차 세계대전에 두 번씩이나 참여한 뒤 도덕성과 확고한 인품, 그리고 아름답고 충실한 아내 외에는 아무것도 가진 것 없이 맨주먹으로 인생을 출발한 이 사람을 무시할 수 없었다. 또한 그에게는 자식들이 있었고, 넓은 토지를 갖겠다는 야심찬 꿈이 있었다. 어쩌면 봉투 속에 든 것은 졸업식 일정이 적힌 팜프렛인지도 모른다. 아니면 아버지는 나만큼 당황한 나머지 아무것이나 내 손에 쥐어 준 것인지도 모른다. 혹시 그날 있을 버레스 가문의 축하 파티에 나를 초대하는 초대장이 아닐까? 실망하기도 싫었지만 모든 가능성을 음미하고자 나는 탈의실에 도착할 때까지 그 봉투를 열지 않았다. 나는 봉투를 손에서 놓지 않은 채 힘겹게 졸업 모자와 가운을 벗었다.

"졸업식 선물로 부모님이 이걸 주셨어!"

마르타가 신이 나서 떠들었다. 그녀의 손가락에는 모두가 볼 수 있도록 반짝이는 진주반지가 끼워져 있었다.

건너편 탈의실에선 토드가 소리쳤다.

"우리 영감께선 차를 사주셨어."

어디선가는 이렇게 푸념하는 소리도 들렸다.

"다들 좋겠군. 난 언제나처럼 아무것도 없어."

또다른 목소리가 실려왔다.

"나도 마찬가지야."

그때 내 룸메이트가 저쪽에서 소리쳐 물었다.

"넌 부모님한테서 뭘 받았니, 베티?"

"세상에서 가장 멋진 남자로부터 믿어지지 않는 또 하나의 배움을 얻었지. 너무 소중한 것이라서 다른 사람에게 공개할 순 없어."

그렇게 말해 줄 순 없는 일이었다. 그래서 나는 몸을 돌리고 못 들은 척했다. 나는 졸업 가운을 단정히 접어 가방 안에 넣었다. 그 가운을 나는 아직까지도 간직하고 있다. 그것은 아버지가 말과 행동으로써 내게 보여 준 삶의 상징이다.

아버지가 눈물 흘리시던 모습을 기억하고 나는 두 눈이 젖어 왔다. 결국 아버지가 와 주셨다. 나는 그만큼 아버지에게 중요한 존재인 것이다. 아니면 엄마와의 싸움에서 지셨던지! 나는 아버지로부터 받은 소중한 기념물이 눈물에 젖지 않게 조심하면서 봉투를 열었다. 아버지가 나에게 보내는 편지였다.

베티에게,

너도 들어서 알고 있겠지만 내가 아직 어린 소년이었을 때 우리집은 농장을 잃었다. 어머니는 혼자서 여섯 명의 자녀를 키우셔야만 했지. 모두에게 힘든 시기였다. 우리집이 농장을 잃던 그날 난 맹세했다. 언젠가 반드시 내 자신의 토지를 소유할 것이며, 나의 자식들 각자에게 그 토지를 유산으로 물려 주겠다고 말이다. 나의 자식들에게만은 안정된 삶을 주겠다는 것이 나의 굳은 결심이었다. 세상 어디에 나가서 살든지, 어떤 삶이 그들을 기다리고 있든지, 그들이 원할 때면 언제라도 버레스의 농장으로 되돌아올 수 있도록 하겠다고 나는 맹세했다. 나의 자식들은 항상 집을 갖게 하겠다고 말이다. 여기에 '너 자신의' 농장이 될 등기 권리증을 첨부한다. 세금은 이미 내가 다 지불했다. 이제 이 농장은 너의 소유다.

네가 대학에 들어갔을 때 내가 얼마나 자랑스러웠는지 너도 상상할 수 있을 거다. 난 언젠가 네가 학위를 따 내리라는 희망을 한 번도 버리지 않았다. 그러나 집안 형편 때문에 너의 학비를 대주지 못할 때 내가 얼마나 절망했는지 아마도 넌 모를 거다. 나에 대한 너의 믿음을 깨는 것이 두려워 난 아무 말도 하지 못했다. 그렇다고 해서 네가 하고 있는 일을 내가 하찮게 여긴 것은 결코 아니었다. 네 꿈을 실현시키기 위해 네가 얼마나 고생하고 있는지 내가 모르고 있었던 건 더더욱 아니었다. 난 네가 원하는 만큼 널 뒷바라지해주지 못했지만 한 순간도 널 잊고 지낸 적이 없다. 멀리서나마 난 언제나 널 지켜보았다. 네가 혼자서 헤쳐 나가는 고난과 시련들에 대해 내가 무감각하다고 넌 생각했겠지. 하지만 그렇지 않다. 나 자신 역시 가정을 꾸려 나가고 또한 내가 포기할 수 없는 너무도 중요한 꿈을 실현하느라 온갖 시련과 싸워야만 했다. 내 자식들에게 물려줄 소중한 유산이 난 필요했던 것이다.

난 언제나 널 위해 기도했다. 사랑스런 딸아, 너를 가로
막는 모든 역경을 네가 힘과 용기를 갖고 헤쳐 나갈 때 그것
은 나에게도 큰 힘이 돼 주었다. 그래서 나 역시 다시금 꿈
을 새롭게 다지고 내 자신의 시련과 고난을 헤쳐 나가 그것
들을 가치 있는 것으로 만들 수 있었다. 나에게 힘과 용기와
불굴의 의지를 가르쳐 준 모델이자 영웅이 바로 너였다.

네가 휴일에 집으로 내려오면 우린 함께 농장 주위를 산
책하곤 했었지. 그때 난 네가 나에 대한 믿음을 잃지 않도록
뭔가 말을 해 주고 싶었다. 난 네가 날 신뢰해 주는 것이 필
요했다. 하지만 난 너의 끝없는 젊음의 에너지와 자부심을
지켜보고, 또 꿈을 성취하려는 너의 확고한 결심 등에 대해
들으면서 언제가 모든 것이 다 잘 되리라는 걸 알았다. 네가
꿈을 이룰 수 있고 또 이루게 되리라는 걸 난 알고 있었다.
그 결과 오늘 우리 두 사람은 꿈의 실현을 확인해 주는 두
장의 서류를 갖게 되었다. 우리 두 사람은 고귀한 목표를 향
해 힘들게 노력했기 때문에 이것을 성취했다. 베티, 오늘 난
네가 더없이 자랑스럽다.

사랑하는 아빠가

*Love
Dad*

(필자 주:이것은 아버지의 실제 서명임!)

베티 B. 영

나의 아버지는 내가 ……

네살 때— 아빠는 뭐든지 할 수 있었다.

다섯살 때— 아빠는 많은 걸 알고 계셨다.

여섯살 때— 아빠는 다른 애들의 아빠보다 똑똑하셨다.

여덟살 때— 아빠가 모든 걸 정확히 아는 건 아니었다.

열살 때— 아빠가 어렸을 때는 지금과 확실히 많은 게 달랐다.

열두살 때— 아빠가 그것에 대해 아무것도 모르는 건 당연한 일이다. 아버진 어린 시절을 기억하기엔 너무 늙으셨다.

열네살 때— 아빠에겐 신경 쓸 필요가 없어. 아빤 너무 구식이거든!

스물한살 때— 우리 아빠말야? 구제불능일 정도로 시대에 뒤졌지.

스물다섯살 때— 아빠는 그것에 대해 약간 알기는 하신다. 그럴 수밖에 없는 것은, 오랫동안 그 일에 경험을 쌓아오셨으니까.

서른살 때— 아마도 아버지의 의견을 물어보는 게 좋을 듯하다. 아버진 경험이 많으시니까.

서른다섯살 때— 아버지에게 여쭙기 전에는 난 아무것도 하지 않게 되었다.

마흔살 때— 아버지라면 이럴 때 어떻게 하셨을까 하는 생각을 종종한다. 아버진 그만큼 현명하고 세상 경험이 많으시다.

쉰살 때— 아버지가 지금 내 곁에 계셔서 이 모든 걸 말씀드릴 수 있다면 난 무슨 일이든 할 것이다. 아버지가 얼마나 훌륭한 분이셨는가를 미처 알지 못했던 게 후회스럽다. 아버지로부터 더 많은 걸 배울 수도 있었는데 난 그렇게 하지 못했다.

앤 랜더즈

내 인생을 바꾼 어린 숙녀

처음 그녀를 만났을 때 그녀는 다섯살이었다. 그녀는 스프 그릇을 들고 오는 중이었다. 예쁜 금발머리를 가졌고, 어깨에는 작은 분홍색 숄을 걸치고 있었다. 나는 그때 스물아홉살이었으며 지독한 독감에 걸려 고생하고 있었다. 나는 이 어린 숙녀가 내 인생을 바꿔 놓게 되리라곤 상상조차 하지 못했다.

그녀의 엄마와 나는 여러 해 동안 친구로 지냈다. 결과적으로 우리의 우정은 서로에 대한 염려로 발전했고, 염려에서 사랑이 싹텄으며, 사랑은 결혼으로 이어졌다. 그리고 결혼은 우리 세 사람을 한 가족으로 만들었다. 처음에 나는 무척 어색했다. 내 마음 한쪽에는 '의붓아버지'라는 혐오스런 딱지가 늘 자리잡고 있었다. 이상하게도 의붓아버지들은 아이와 친아버지의 눈물 어린 관계를 가로막는 장애물로 여겨질 뿐 아니라, 어떤 신화에는 사람 잡아먹는 귀신으로까지 등장한다.

처음에 나는 홀아비 신세에서 아버지의 입장으로 자연스럽게 전환하려고 노력했다. 결혼하기 일년 반쯤 전, 나는 두 사람이

사는 집에서 불과 몇 블럭 떨어진 곳에다 아파트를 구했다. 서로가 결혼할 생각이 분명해지면서부터 나는 친구에서 아버지로 무리없이 자리바꿈할 수 있도록 많은 시간을 할애했다. 무엇보다 장차 내 딸이 될 그 아이와 그녀의 친아버지 사이에 벽이 되지 않으려고 노력했다. 나는 그녀의 인생에서 내 자신이 뭔가 특별한 존재가 되기를 원했다.

세월이 흐르면서 나는 점점 그녀를 높이 평가하게 되었다. 그녀의 정직성, 진실성, 그리고 솔직성은 나이에 걸맞지 않게 성숙했다. 그 아이 속에는 남에게 베풀 줄 아는 자비심 넘치는 어른이 살고 있음을 나는 알았다. 그래도 나는 여전히 뭔가 마음에 걸려 있었다. 만일 내가 어떤 문제에 대해 그녀에게 엄격하게 굴면 나는 그녀의 '진짜' 아버지가 아니라는 사실이 툭 불거져 나올 것만 같았다. 내가 친아버지가 아니라면 그녀가 내 말을 들을 이유가 없었다. 그래서 내 모든 행동은 신중하고 계산된 것이 될 수밖에 없었다. 나는 어쩌면 내가 원하는 것보다 더 관대하게 그 애를 대했는지도 모른다. 내 자신의 관점에서 좋거나 가치 있다고 생각되는 대로 행동하기보다는 그 애의 마음에 드는 행동을 하려고 노력했고, 의무에 충실한 삶을 살려고 애썼다.

사춘기에 접어들면서 우리는 감정적으로 조금씩 멀어져갔다. 나는 더 이상 나 자신을 어떻게 통제해야 할지를 몰랐다. 아니면 아버지는 이러저러하게 행동해야 한다는 환상을 잃어버렸는지도 모른다. 그녀는 자신이 누구인가를 찾고 있었고, 나 역시 나의 아이덴티티를 찾고 있었다. 나는 점점 그녀와 대화하는 것이 어려워짐을 깨달았다. 나는 뭔가 잃어버린 느낌과 함께 큰 슬픔을 느꼈다. 우리가 처음에 그토록 쉽게 나눴던 하나됨의 느낌으로부터 우리는 점점 멀어지고 있다.

그녀는 카톨릭 계통의 고등학교를 다녔기 때문에 3학년생이되자 정기적으로 피정(일정 기간 조용한 곳에서 하는 종교적 수련)에 참가해야 했다. 학생들은 피정에 참가하는 것을 지중해 클럽에서 일주일간 휴가를 보내는 것 정도로 생각하는 것이 분명했다. 다들 기카와 라켓볼 경기 도구들을 챙겨 갖고 버스에 올라탔다. 그들은 그것이 그들에게 오랫동안 깊은 인상을 남길 정신적 경험이 되리라는 사실을 미처 깨닫지 못하고 있었다.

참석 학생들의 부모는 각자의 자녀에게 편지를 쓰도록 되어있었다. 우리는 우리의 관계에 대해 터놓고 정직하게, 그리고 오직 긍정적인 것만을 적도록 부탁을 받았다. 나는 편지에다 내가독감에 걸렸을 때 나에게 스프 그릇을 갖다 주던 그 금발머리의 꼬마 아가씨에 대해 썼다.

피정 기간 동안 학생들은 자신들의 참 존재에 대해 깊이 탐구해 들어갔다. 그리고 우리 부모들이 그들을 위해 준비한 편지를읽는 시간을 가졌다.

부모들 역시 그 주간의 어느 하룻밤을 정해 자신의 자녀에 대해 생각하고 그들에게 좋은 생각들을 보내도록 부탁을 받았다. 그녀가 떠나가 있는 동안 나는 내 자신이 잘 알고 있으면서도 마주하기를 피해 온 어떤 문제에 대해 생각했다. 그것은 다름 아니라 나는 나 자신이 되어야 한다는 사실이었다. 내가 내 자신이될 때 비로소 나는 남에게 진정한 평가를 받을 수 있었다. 나는다른 누군가처럼 행동할 필요가 없었다. 내가 나 자신에게 진실하다면 남의 감시를 받을 이유가 없었다. 다른 사람에게는 이것이 그다지 중요한 것이 아닐지 몰라도 내 인생에서는 가장 큰 깨달음이었다.

학생들이 피정 기간을 마치고 집으로 돌아오는 밤이 되었다. 그들을 집까지 태우고 갈 부모와 친구들은 더 일찍 와 달라는 부탁을 받았다. 우리는 조명이 거의 없는 넓은 실내로 초대되었다. 무대처럼 홀 앞쪽에만 조명등이 밝게 빛나고 있었다.

학생들은 즐겁게 행진해 들어왔다. 마치 여름 캠프에서 돌아오는 것처럼 모두가 지저분한 얼굴이었다. 학생들은 서로 손을 잡고 그 주간의 테마곡으로 자신들이 작곡한 노래를 부르면서 들어왔다. 그들의 지저분한 얼굴에서는 소속감과 사랑과 자신감의 새로운 느낌들이 발산되고 있었다.

이윽고 실내에 조명이 켜지자 학생들은 자신들의 부모와 친구들 역시 그곳에 와 있다는 것을 알았다. 그들을 집에까지 태워가고 그들의 즐거운 체험을 나누기 위해 온 사람들이었다. 학생들은 일주일 동안 자신들이 느낀 점을 간단히 말할 수 있도록 허락받았다. 처음에는 몇몇 학생들이 마지못해 일어나 "약간 추웠다."라든가 "무서운 일주일이었다."라고 말했지만 잠시 후 학생들의 눈은 생동감으로 반짝이기 시작했다. 그들은 이 통과 의식의 중요성을 말해 주는 내적인 경험들을 털어놓기 시작했다. 그들은 이제 서로 마이크를 차지하려고 애썼다. 그때 나는 내 딸이 뭔가를 말하려고 한다는 것을 알았다. 나 역시 그녀가 무엇을 말할지 듣고 싶었다.

나는 내 딸이 당당한 자세로 마이크 앞으로 다가가는 것을 보앉다. 마침내 그녀는 모두의 앞에 섰다. 그녀는 말했다.

"멋진 시간을 보냈습니다. 제 자신에 대해 많은 것을 알았구
요."

그리고 나서 그녀는 말했다.

"저는 우리가 때로 당연하게 받아들이는 사람들과 사물들이
있다는 것을 말하고 싶어요. 우리는 그렇게 하면 안 된다는 것을
요. 저는 다만 이것을 말하고 싶어요. 사랑해요, 토니!"

그 순간 나는 다리가 휘청거렸다. 나는 그녀가 그런 말을 하리
라고는 예상도 기대도 하지 않았다. 사람들이 내게로 몰려와 나
를 껴안고 내 등을 두드리기 시작했다. 그들 역시 그 중요한 선
언의 깊이를 이해한 듯했다. 십대 소녀가 많은 사람들이 모인 자
리에서 공개적으로 "사랑해요."라고 말한다는 것은 큰 용기가
필요한 일이었다. 압도당하는 것보다 더한 경험이 있다면 내가
경험한 것이 바로 그것이었다.

그 이후로 우리의 관계는 급속도로 가까워졌다. 나는 의붓아
버지가 되는 것에 대해 어떤 두려움도 느낄 필요가 없다는 것을
이해했다. 난 다만 여러 해 전에 나에게 친절함으로 가득 채워진
스프 그릇을 갖다 준 그 어린 숙녀에게 정직하게 사랑을 나눌 수
있는 진정한 인간이 되어 주는 일에 관심을 기울이면 되는 일이
었다.

토니 루나

열번째 줄 한가운데

미시건 주 디트로이트에서 있었던 내 세미나가 끝난 뒤 한 남자가 내게 다가와서 자기 소개를 했다. 그는 말했다.

"론 씨, 오늘 당신의 강연에 감동받았습니다. 난 내 인생을 바꾸기로 결심했습니다."

내가 말했다.

"멋지군요!"

그가 말했다.

"언젠가 선생은 내 인생이 어떻게 달라졌는가를 듣게 될 겁니다."

내가 말했다.

"나도 그걸 의심하지 않아요."

정말로 내가 몇 달 뒤 디트로이트에 다시 가서 강연을 했을 때 그 남자가 내게 걸어와 말했다.

"론 씨, 날 기억하시겠습니까?"

내가 말했다.

"물론이죠. 당신은 자신의 인생을 바꾸기로 한 그 사람이 아닙니까?"

그가 말했다.

"바로 그렇습니다. 이제 선생께 들려 줄 이야기가 있습니다. 지난 번 세미나가 끝났을 때 나는 내 인생을 바꿀 수 있는 방법에 대해 생각하기 시작했지요. 나는 먼저 내 가정에서부터 출발하겠다고 결정을 내렸습니다. 내게는 예쁜 두 딸이 있습니다. 어떤 집 아이들보다 훌륭한 애들이지요. 그 애들은 한 번도 문제를 일으킨 적이 없는 애들입니다. 하지만 난 언제나 아이들한테 엄격하게 대해 왔습니다. 특히 애들이 십대에 접어든 다음부터는 더욱 그랬지요. 그 애들이 가장 좋아하는 것 중 하나는 자신들이 좋아하는 가수들을 보려고 록앤롤 공연장에 가는 것입니다. 난 그 문제에 대해 항상 엄격하게 처신했습니다. 난 늘 이렇게 말하곤 했지요.

'안 돼. 그 음악은 너무 시끄러워. 너희들은 귀를 망치게 될 거다. 그리고 그런 무리들과 어울리면 안 돼.'

그러면 딸아이들은 이렇게 애원했습니다.

'제발 아버지, 가게 해 주세요. 우린 아무 문제도 일으키지 않잖아요. 우린 좋은 딸이에요. 제발 보내 주세요.'

애들이 끝까지 애원하면 그제서야 난 마지못해 돈을 던져 주며 말하곤 했습니다.

'좋다. 너희들이 정 그런 저질스런 장소에 가고 싶다면 맘대로 해라.' 그래서 나는 이 부분에서부터 내 인생을 바꾸기로 결정했습니다."

그는 계속 말했다.

"내가 한 게 이겁니다. 얼마 전 난 우리 애들이 가장 좋아하는 록앤롤 가수가 이 도시에 와서 공연을 갖는다는 광고를 보았습니다. 내가 어떻게 했는지 상상이 가십니까? 난 공연장으로 가서 내 손으로 직접 표 두 장을 샀습니다. 그날 저녁 딸들을 만났을 때 난 애들에게 봉투를 건네 주며 말했지요.

'딸들아, 너희는 믿어지지 않겠지만, 이 봉투 속에는 이곳에서 열릴 록앤롤 공연 입장권이 들어 있다.'

애들은 믿을 수가 없는 모양이었습니다. 그런 다음 난 애들한테 한 가지 더 말했지요.

'너희들은 이제 더 이상 나한테 애원하지 않아도 된다.'

이제 내 딸들은 정말로 믿을 수가 없다는 표정이었습니다. 마지막으로 난 딸아이들에게 공연장에 도착할 때까지 그 봉투를 열어 보면 안 된다고 말했습니다. 애들도 그렇게 하겠다고 다짐했구요. 드디어 공연하는 날이 되었습니다. 애들은 공연장에 도착해서 봉투 안에서 티켓을 꺼내 안내원에게 주었습니다. 안내원은 애들에게 '이리 따라와요.' 하고 말하고는 앞좌석 쪽으로 안내를 했습니다. 애들이 안내원을 붙들고 말했지요.

'잠깐만요. 뭔가 잘못됐어요.'

그러자 안내원은 다시 티켓을 들여다보더니 말했습니다.

'잘못된 건 아무것도 없어요. 어서 따라와요.'

마침내 딸아이들은 열번째 줄 한가운데 좌석에 앉게 되었습니다. 애들은 놀랄 수밖에 없었지요. 그날 나는 늦게까지 자지 않고 애들을 기다렸습니다. 아니나 다를까 자정쯤이 되자 딸아이들이 현관문을 밀치고 뛰어들어오는 소리가 들렸습니다. 한 애는 내 무릎 위로 뛰어오르고 다른 애는 내 목에 팔을 껴안았습니다. 그런 다음 둘 다 말했지요.

'아버지는 정말 세상에서 가장 멋진 아버지예요!'"

생각의 작은 변화만으로도 멋진 삶이 가능하다는 걸 보여 주는 이 얼마나 훌륭한 보기인가!

짐 론

딸에게 보내는 편지

내 딸 줄리 앤이 태어난 직후 나는 몇몇 친구들과 함께 사랑의 전통을 시작했다. 우리는 이 일을 진행하면서 자주 모여 그것에 대한 얘기를 주고받았다. 나는 당신도 자신의 가족 안에서 이 전통을 시작할 수 있도록 여기에 그 이야기를 적는다.

매년 딸아이의 생일이 되면 나는 딸에게 보내는 편지를 쓴다. 편지에는 지난 한 해 동안 그 아이에게 일어난 일, 힘들었던 일과 즐거웠던 일, 내 자신과 딸아이의 삶에서 중요한 부분을 차지한 일들을 적는다. 뿐만 아니라 세상의 사건들, 미래에 대한 내 예측, 그밖의 다방면에 걸친 생각들도 함께 적는다. 그리고 큰 봉투를 마련해 편지와 함께 사진, 카드, 선물, 몇 해가 지나면 분명 사라져 버릴 여러 기념품들을 넣는다.

나는 그것을 위해 책상 서랍 한 칸에다 딸에게 보내는 다음 번 편지에 포함시키고 싶은 것들을 생각날 때마다 넣어 둔다. 그리고 매주 그 주에 일어난 사건들에 대한 짧은 메모를 적어 놓는다. 일년 뒤 딸에게 정기적인 편지를 쓸 때 잊어 먹지 않기 위해

서다. 딸아이의 생일이 다가오면 나는 서랍에 있는 것들을 모두 꺼낸다. 그 속에는 단상들과 시, 카드, 보물들, 이야기들, 온갖 종류의 사건과 기억들이 담겨 있다. 그것들 중 많은 것들은 이미 내가 잊고 있었던 것들이다. 나는 그것들을 바탕으로 그해에 딸에게 보내는 편지를 열심히 적기 시작한다. 일단 편지를 다 쓰고 나면 모든 보물들과 함께 큰 봉투에 넣어 풀로 붙인다. 그러면 그것이 그해의 '딸에게 보내는 편지'가 되는 것이다. 겉봉에는 항상 '줄리 앤에게 ○번째 생일에 아버지가 보내는 편지. 스물한 살이 됐을 때 뜯어 볼 것!'이라고 써놓는다.

그것은 딸아이가 성년이 될 때까지 매년 만들어지는 사랑의 타임 캡슐이다. 그것은 한 세대가 다음 세대에게 주는 사랑의 선물이다. 그리고 그것은 그 애가 실제로 어떻게 살았는가를 훗날 그녀에게 말해 줄 인생의 영원한 기록이다.

나는 겉봉에 스물한살이 되면 뜯어 보라고 적은 그 봉해진 봉투를 딸아이에게 보여 준다. 그런 다음 그것을 내 서재의 선반 위에 전년도에 쓴 편지들과 함께 올려 놓는다. 이따금 딸아이는 그 봉투들을 모두 내려 그것들을 만져본다. 그 애는 이따금 봉투 안에 무엇무엇이 들어 있는가를 묻지만 난 내용물에 대해선 언제나 비밀을 지킨다.

최근 몇 년 줄리 앤은 자신이 아끼는 어린시절의 특별한 보물들을 내게 주었다. 그것들은 그 애가 이제 나이를 먹어서 더 이상 갖고 놀 순 없지만 버리고 싶지 않은 물건들이다. 그 애는 언제나 간직할 수 있도록 그것들도 봉투 안의 내용물에 포함시켜 달라고 부탁한다.

딸아이에게 정기적으로 편지를 쓰는 일은 이제 내가 아버지로서 행하는 가장 신성한 의무가 되었다. 그리고 줄리 앤이 커갈수록 나는 그것이 그 애의 삶에도 점점 특별한 부분이 되고 있음을 느낄 수 있다.

어느날 우리는 함께 앉아서 미래에 무슨 일이 일어날까를 얘기하며 즐거운 시간을 보내고 있었다. 나는 그때 오간 얘기들을 정확히 기억하진 못하지만 대충 이런 내용이었다. 나는 농담 삼아 줄리 앤에게 말했다. 너의 예순한번째 생일이 되면 넌 손자들과 함께 놀고 있을 것이라고. 그러다가 난 갑자기 생각을 바꿔, 너의 서른한번째 생일이 되면 넌 아이들을 차에 태우고 하키 연습장에 갈 것이라고 말했다. 줄리 앤이 내 상상에 무척 재미있어 하는 걸 보고 나는 얘기를 계속했다.

"스물한번째 생일이 되면 넌 대학을 졸업하게 되겠지."

그러자 줄리 앤이 불쑥 말했다.

"아녜요. 전 아버지가 보낸 편지들을 읽느라고 너무나 바쁠 거예요!"

내 가장 큰 바램 중의 하나는 그 타임 캡슐이 공개되어 사랑으로 싸여진 산들이 과거로부터 쏟아져나와서는 성년이 된 내 딸의 삶 속으로 되돌아오는 미래의 그날까지 살아 있는 것이다. 그리하여 그 아름다운 시간을 함께 하는 것이다.

레이먼드 L. 아론

노란 작업복 셔츠

그 노란 작업복 셔츠는 긴 소매에다 앞쪽에는 검은 실로 박은 큼지막한 주머니가 네 개나 달려 있었다. 한눈에 반할 만한 멋진 옷은 아니었지만 실용적인 옷인 건 분명했다. 나는 그 옷을 대학 신입생이던 1963년 겨울, 크리스마스 방학을 맞아 집에 내려왔다가 발견했다.

집에서 방학을 보내는 여러 즐거움 중 하나는 엄마가 쌓아 놓은 허드렛 물건들을 샅샅이 뒤지는 기회를 갖는 일이었다. 그렇다고 뜻밖의 멋진 물건을 발견하는 일은 드물었다. 엄마는 정기적으로 옷정리를 하셨고, 안 쓰는 살림살이들은 그때그때 처분하는 성격이셨다. 나머지 물건들은 종이가방에 넣어 현관 입구의 벽장에 넣어 두셨다.

하루는 엄마의 물건들을 뒤지다가 나는 이 큼지막한 노란 셔츠를 발견했다. 세월이 흘러 색이 약간 바래긴 했지만 아직 충분히 입을 만했다. 나는 생각했다.

"미술 수업 시간에 옷 위에다 이것을 걸쳐 입으면 안성마춤이

겠는데!"

엄마는 내가 그 옷을 챙기는 걸 보더니 말씀하셨다.

"너 그 낡은 옷을 가져 가려는 건 아니겠지? 그 옷은 내가 1954년에 네 남동생을 임신했을 때 입었던 거란다."

"미술 시간에는 아주 완벽한 옷이에요, 엄마. 아무튼 고마워요!"

나는 엄마가 더 말리기 전에 얼른 셔츠를 여행가방 속에 집어넣었다.

그렇게 해서 그 노란색 작업복 셔츠는 내 대학 기숙사 옷장의 한 부분을 차지하게 되었다. 난 그 옷이 너무 맘에 들었다. 대학 시절 내내 그 옷은 나와 함께 있어 주었다. 어떤 작업을 할 때나 그 옷은 잘 어울렸고 또 편안했기 때문에 다른 옷들을 쉽게 물리쳤다. 졸업 전에 솔기가 헤져 다시 박기는 했어도 그 오래된 옷은 아직도 몸에 걸치는 데는 아무 문제가 없었다.

졸업 후 나는 콜로라도 주의 덴버 시로 거처를 옮겼다. 아파트로 이사하던 날도 나는 그 옷을 입고 짐을 날랐다. 그리고 집안 청소와 빨래를 하는 토요일 아침에도 그 옷을 입었다. 가슴께에 두 개, 아래쪽에 두 개 달린 네 개의 주머니는 걸레와 왁스와 광택제들을 넣는 데 아주 제격이었다.

그 이듬해 나는 결혼했다. 임신을 했을 때 나는 그 노란색 작업복 셔츠가 서랍에 처박혀 있는 것을 보았다. 나는 그것을 꺼내 배가 남산만 하던 시절 내내 그 옷을 입고 다녔다. 우리는 콜로라도 주에 살고 엄마와 아버지, 그리고 나머지 식구들은 일리노이 주에 있었기 때문에 나의 첫 임신 기간을 가족과 함께 보낼 수 없는 것이 못내 아쉬웠다. 하지만 그 셔츠가 나에게 가족들의 보호와 따뜻한 염려를 기억하는 데 많은 도움을 주었다. 엄마가 임신중일 때 그 옷을 입으셨다는 것이 생각날 때마다 나는 미소를 지으며 그 옷을 품에 안아 보곤 했다.

1969년 내가 첫딸을 출산했을 때 노란색 셔츠는 적어도 15년 이상된 옷이었다. 그해 크리스마스에 나는 팔꿈치를 덧댄 뒤 세탁해서 잘 다렸다. 그런 다음 그것을 종이가방에 포장해서 엄마에게 보냈다. 미소를 지으면서 나는 셔츠 주머니에 이런 편지를 남겼다.

"이 옷이 아직도 엄마에게 잘 맞기를 바래요. 엄마가 정말 멋져 보이실 거예요!"

엄마는 내가 보낸 그 '진정한' 선물에 고맙다는 편지를 써 보내시면서 노란색 작업복 셔츠가 정말 편하고 좋은 옷이라고 하셨다. 하지만 그 이후로는 그 옷에 대해 아무 말씀도 없으셨다.

이듬해 남편과 딸과 나는 덴버 시에서 세인트 루이스로 이사를 했다. 도중에 우리는 엄마의 집에 들러 몇 가지 가구를 실어 왔다. 며칠 뒤 식탁을 옮기다가 나는 식탁 밑바닥에 노란색 테이프로 큼지막한 봉투가 붙어 있는 것을 보았다. 봉투 속에는 바로 그 셔츠가 들어 있었다. 그렇게 해서 엄마와 나 사이에 하나의 게임이 시작되었다.

다음 번 집을 방문했을 때 나는 셔츠를 엄마와 아버지가 주무시는 침대 밑 매트리스와 스프링 사이에 몰래 넣어 두었다. 엄마가 그것을 발견하는 데 얼마나 오래 걸렸는지 모르지만, 거의 두 해가 지나서야 나는 그 옷을 돌려받았다.

이때쯤 우리 가족은 숫자가 불어났다.

이번에는 엄마가 나보다 더 심했다. 엄마는 셔츠를 우리집 거실 램프 밑받침 아래다 숨겨 놓으셨다. 세 아이의 엄마인 내가 집안 청소와 램프 옮기는 일을 매일 할 수는 없으리라는 걸 아셨던 것이다.

마침내 셔츠를 찾아냈을 때 나는 그 옷을 입고 동네 자선 바자회에서 싸게 사온 가구들을 수선하고 광 내는 작업을 했다. 그러느라 셔츠에 얼룩이 생겼지만, 얼룩은 오히려 그 옷에 내력을 더해 주었다.

불행히도 우리의 삶 역시 얼룩으로 가득 차 있다.

내 결혼은 처음부터 거의 실패에 가까운 것이었다. 가정 상담소에서 몇 차례 시도를 한 끝에 마침내 남편과 나는 1975년에 이혼을 했다. 세 명의 아이들과 나는 일리노이 주로 이사갈 준비를 했다. 그곳에 가면 적어도 가족과 친구들의 심리적인 도움을 받을 수 있기 때문이었다.

짐을 싸는 동안 깊은 절망감이 나를 압도했다. 나 혼자서 어린 세 아이들을 키워 낼 수 있을지 막막했다. 또 일자리를 구할 수 있을지도 미지수였다. 비록 카톨릭 계통의 학교를 졸업한 뒤로 성경을 자주 읽지는 못했지만 나는 마음의 위안을 찾아 성경책을 꺼내 뒤적였다. 에베소서에 이런 구절이 적혀 있었다.

"그러므로 하나님의 갑옷으로 너를 무장하라. 이는 싸움이 끝났을 때 너희가 똑바로 서 있기 위함이라."

나는 내 자신이 하나님의 갑옷을 입고 있는 것을 상상하려고 노력했다. 하지만 내 머릿속에 떠오른 것은 내가 그 얼룩 묻은 노란색 작업복 셔츠를 입고 있는 모습이었다. 그렇다! 그것은 엄마가 입었던 하나님의 사랑의 갑옷이 아니던가! 나는 자신도 모르게 미소지었다. 그리고 노란 셔츠가 지난 여러 해 동안 내 삶에 가져다 준 즐거움과 따뜻함을 기억했다. 나는 용기가 새로워졌다. 어쨌든 미래는 두려운 것만은 아니었다.

새 집에 도착해 짐을 풀고 기분이 더 나아지면서 나는 엄마에게 셔츠를 돌려줘야겠다고 생각했다. 다음 번 방문했을 때 나는 그것을 엄마 서랍장 맨 밑칸에 잘 개어서 넣었다. 그 서랍칸에는 철 지난 스웨터들만 들어 있어서 엄마가 금방 열어 볼 가능성이 없었다.

그러는 사이에 내 삶은 눈부시게 진행되었다. 나는 라디오 방송국에서 좋은 일자리를 구했으며, 아이들도 새로운 환경에 잘 적응했다.

일년 뒤 창문을 닦으려다가 나는 노란 셔츠가 청소 도구를 넣어 두는 작은 방의 종이가방 속에 숨겨져 있는 것을 발견했다. 새로운 것이 덧보태져 있었다. 가슴 호주머니 상단에 밝은 초록색으로 '나의 주인은 패티'라고 써 있었다. 나는 물러나지 않고 내 색실 상자를 들고와 그 뒤에 몇 글자를 덧붙였다. 그래서 이제 셔츠에는 이렇게 써 있게 되었다.

'나의 주인은 패티의 엄마.'

나는 다시 한번 헤진 부분들을 실로 꿰맸다. 그런 다음 내 친한 친구 해롤드의 도움을 받아 그것을 엄마에게 돌려 주었다. 해롤드는 또다른 친구를 시켜 버지니아의 앨링턴에서 그 셔츠를 엄마에게 우편으로 부치게 했다. 우리는 소포 꾸러미에다 엄마에게 선행 표창장을 받게 되었다고 알리는 편지를 동봉했다. 공식적인 상장으로 보이도록 해롤드가 교감으로 있는 고등학교에서 상장을 인쇄했다. 상장을 수여하는 단체는 '빈곤 퇴치 협회'였다.

이 무렵이 내 인생의 행복한 시기였다. 그 상품 꾸러미를 푸셨을 때 엄마의 얼굴이 어떠셨을까! 물론 엄마는 그것에 대해 입을 다무셨다.

이듬해 부활 주일날 엄마는 최후의 일격을 가했다. 엄마는 아버지와 함께 우리집을 방문하면서 부활절 정장 위에 그 오래된 셔츠를 입으시고 왕처럼 당당한 걸음걸이로 걸어들어오셨다. 마치 그 옷이 엄마가 입고 있는 의상의 매우 중요한 부분이기나 한 듯이.

나는 놀라서 입이 딱 벌어졌지만 아무 말도 하지 않았다. 부활절 식사 도중에 나는 웃음을 참느라 사레가 들릴 정도였다. 하지만 나는 엄마와 은연중에 정한 법칙대로 그 옷에 대해선 절대로 내색을 하지 않았다. 나는 엄마가 셔츠를 벗어 내 집 어딘가에 숨겨 놓으시리라고 믿었다. 그러나 엄마는 아버지와 함께 우리집을 떠나실 때 '나의 주인은 패티의 엄마'를 코트처럼 팔에 얹고 문을 나가셨다.

한 해가 지난 1978년 7월에 해롤드와 나는 결혼을 했다. 우리의 결혼식날 우리는 흔히 있는 짓궂은 장난들을 피하기 위해 친구의 차고에 우리 차를 숨겨 놓았다. 결혼식이 끝난 뒤 남편이 차를 몰고 우리는 위스콘신으로 신혼여행을 떠났다. 도중에 나는 휴식을 취하기 위해 차 안에 있는 쿠션을 끌어당겼다. 그런데 쿠션이 덩어리처럼 뭉쳐 있었다. 그래서 지퍼를 내리고 안을 확인했더니 그 속에 예쁜 종이로 포장된 선물 꾸러미가 들어 있었다.

나는 그것이 해롤드가 나를 놀래켜 주기 위해 숨겨둔 선물인 것으로 생각했다. 하지만 해롤드 역시 나처럼 놀란 표정이었다. 포장을 뜯어 보니 안에는 새로 다림질한 노란색 작업복 셔츠가 들어 있었다.

행복한 결혼 생활을 유지하는 데는 사랑이 필요하고 또 그 사랑에는 유머라는 양념이 필요하다는 사실을 엄마는 나에게 일깨워 주려고 하셨던 것이다. 셔츠 윗주머니에는 쪽지 한 장이 들어 있었다.

"요한복음 14장 27절에서 29절까지의 귀절을 읽으렴. 너희들 둘 다를 사랑한다. 엄마가."

그날 밤 나는 호텔 방에 비치돼 있는 성경책을 펼쳐 그 구절을 찾아냈다.

"나는 너희에게 선물을 남기노라. 곧 마음과 가슴의 평화가 그것이니, 내가 너희에게 주는 평화는 세상이 주는 평화처럼 쉽게 부서지는 것이 아니다. 따라서 마음에 근심도 말고 두려워하지도 말라. 내가 너희에게 한 말을 기억하라. 나는 떠나지만 다시 너희에게 돌아올 것이다. 너희가 진정으로 나를 사랑한다면 내가 아버지께로 감을 너희는 기뻐하리라. 이제 일이 이뤄지기 전에 너희에게 미리 말해 두는 것은 그 일이 일어났을 때 너희가 나를 믿게 하기 위함이라."

그 셔츠는 엄마의 마지막 선물이었다.

엄마는 내 결혼식 3개월 전에 루 게릭 병이라고 알려진 근위 축 경화증 진단을 받으셨다. 그것도 말기였다. 엄마는 13개월 뒤 57세를 일기로 세상을 떠나셨다. 장례식날 나는 그 셔츠를 엄마의 무덤에 함께 묻어 보내고 싶은 충동을 느꼈다. 하지만 나는 그렇게 하지 않은 것을 다행으로 여긴다. 왜냐하면 그것은 엄마와 내가 16년 동안 나눴던 사랑으로 가득한 게임의 생생한 증거물이기 때문이다.

게다가 내 큰 딸이 어느덧 대학생이 되었다. 그것도 미술 전공이다. 모든 미술 학도들은 수업시간에 큰 주머니가 달린 작업복 셔츠가 필요하지 않은가!

패트리샤 로렌즈

선물

"할아버지, 제발 오세요."

할아버지가 오시지 않으리라는 걸 알면서도 나는 말했다. 먼지 낀 부엌 유리를 통해 흘러들어오는 창백한 불빛 속에서 할아버지는 비닐로 덧댄 의자에 거북하게 앉아 계셨다. 뻣뻣한 팔은 호마이카 테이블 위에 올려져 있고 시선은 나를 지나 벽을 향해 있었다. 할아버지는 옹고집쟁이인 이태리 시골 노인이셨다. 실제로 받은 것이든 상상으로 받은 것이든 과거에 입은 상처들을 결코 잊는 법이 없으셨다. 그리고 화가 잔뜩 나셨을 때는 끌끌 혀를 차셨다. 지금도 그렇게 하신 것은 내 말을 듣지 않겠다는 뜻이었다.

"꼭 오세요, 할아버지. 할아버지가 오셨으면 정말 좋겠어요."

일곱살 먹은 내 여동생 캐리도 애원했다. 캐리는 나보다 스물한살이나 아래로, 우리 집안에 놀랄 정도로 뒤늦게 찾아온 가족이었다.

"할아버지에게 맛있는 과자를 만들어 드릴께요. 엄마가 저한테 가르쳐 주신다고 했어요."

이번에는 내가 말했다.

"추수감사절이잖아요. 그러니 제발 오세요. 할아버진 지난 4년 동안 우리와 저녁 식사를 함께 하지 않으셨어요. 이제 과거는 잊으실 때도 됐잖아요?"

할아버지는 그 파란 눈으로 나를 쳐다보셨다. 지난 몇 해 동안 온 가족을 위협해 온 그 강렬한 눈빛이었다. 하지만 난 달랐다. 어쨌든 난 할아버지를 알았다. 나는 어떤 면에서는 누구보다도 할아버지의 고독을 이해했으며, 할아버지를 닮아서 나 역시 자신의 감정을 밖으로 드러내는 데는 무능력했다. 이유야 어쨌든 나는 할아버지의 내면에 있는 것들을 알고 있었다. 사실 '아버지의 죄는 아들에게 물려질 것이다.' 라는 격언이 있지 않은가. 모든 남성은 자신이 어떤 것을 결정할 만큼 충분히 나이를 먹기도 전에 불행한 '선물' 을 받고, 또 그것 때문에 많은 고통을 받는다. 그 불행한 선물이란 바로 '남자' 라는 잘못된 관념이다. 우리는 끝내 바깥에서는 힘들고 내면적으로는 무력해진다. 지금 나와 할아버지 사이에 놓여져 있는 몇 발자국의 거리는 사실 몇 광년의 거리일 수도 있었다.

캐리는 아직도 할아버지를 설득하려는 시도를 포기하지 않았다. 그것이 얼마나 무의미한 일인가 캐리는 알지 못했다.

나는 자리에서 일어나 창문으로 가서 뒷마당을 내다보았다. 겨울빛 속에 헝클어진 정원은 회색이고, 엉킨 잡초들이 무성했다. 넝쿨들은 한쪽에서 야생식물처럼 자라 있었다. 할아버지는 저곳에서 기적을 만들곤 하셨다. 아마도 당신 자신 속의 자연을 조화롭게 이끌지 못하는 대신 바깥에 있는 자연을 가꾸는 일에 몰두하셨던 것인지도 모른다. 하지만 할머니가 세상을 떠나신 뒤 할아버지는 정원에서 손을 떼셨다. 그리고는 훨씬 더 심각하게 자신 속으로 파묻히셨다.

창문에서 시선을 돌린 나는 깊어져가는 어둠 속에서 할아버지를 살폈다. 독특하게 생긴 턱과 크고 거친 손, 할아버지의 모든 것이 인생이 얼마나 가차없는 훈련이었나를 반영해 주고 있었다. 할아버지는 열세살 때부터 일을 했으며, 경제 공황기에는 실업자가 되는 수모를 당하셨고, 트렌튼 채석장에서 작업 노동자로 이십 년이 넘도록 일하셨다. 결코 쉽지 않은 삶이었다.

나는 할아버지의 뺨에 입을 맞췄다.

"우린 이제 가야만 해요, 할아버지. 할아버지가 오시기로 결정하시면 언제든지 연락하세요. 제가 모시러 올께요."

할아버지는 돌처럼 굳은 채로 똑바로 앞만 쳐다보며 앉아 계셨다. 오래된 파이프를 빠시면서.

며칠 뒤 캐리가 나에게 할아버지의 주소를 물었다.

내가 물었다.

"뭐하려고 그러니?"

캐리는 종이 한 장을 예쁘게 접어 파란색 봉투 속에 넣고 있었다.

"할아버지에게 선물을 보내려고. 내가 직접 만든 거야."

나는 캐리가 받아 적을 수 있도록 천천히 주소를 불렀다. 캐리는 한 글자마다 정성을 들여 둥근 글씨로 천천히 썼다. 주소 쓰기를 마쳤을 때 캐리는 연필을 내려놓고 강한 어조로 말했다.

"이 편지는 내 손으로 직접 부칠 거야. 우체통 있는 곳까지 날 좀 데려다 줘."

"지금은 바쁘니까 나중에 하자. 괜찮겠지?"

"난 지금 해야만 해. 내 부탁을 들어 줘."

그래서 우리는 그렇게 했다.

추수감사절날 나는 늦게 일어났다. 맛있는 파스타 소스 냄새가 났다. 엄마는 자신의 특별 요리인 라비올리, 브로콜리, 고구마, 월귤 소스를 준비중이셨다. 이태리식과 미국식을 혼합한 엄마의 훌륭한 전통 음식이었다.

"우리는 의자가 네 개만 필요하다, 캐리."

내가 부엌으로 들어갈 때 엄마가 캐리에게 말하고 계셨다. 캐리는 머리를 저었다.

"아녜요, 엄마. 다섯 개가 필요해요. 할아버지가 오실 거예요."

엄마가 말씀하셨다.

"애야, 제발."

그러자 여동생은 단호하게 말했다.

"할아버지는 꼭 오실 거예요. 난 알아요."

내가 말했다.

"캐리, 그만 좀 해라. 할아버진 안 오실 거야. 너도 그걸 알잖니."

나는 캐리가 실망감 때문에 자신에게 주어진 즐거운 날을 망치는 걸 보고 싶지 않았다.

엄마가 말씀하셨다.

"존, 내버려 둬라."

그리고 나서 엄마는 캐리를 바라보며 말씀하셨다.

"네가 원하는 대로 한 자리를 더 만들거라."

아버지가 거실에서 나오셨다. 아버지는 주방으로 들어오시다 말고 주머니에 손을 찌른 채 캐리가 식탁을 차리는 걸 지켜보셨다.

마침내 우리는 저녁을 먹기 위해 테이블 주위에 모여 앉았다. 잠시 동안 우리는 말없이 앉아 있었다. 잠시 후 엄마가 캐리에게 말씀하셨다.

"이제 기도를 해야지, 캐리?"

여동생은 문쪽을 쳐다보았다. 그 다음 캐리는 머리를 숙이고 턱을 괸 다음 중얼거렸다.

"주님, 저희를 축복해 주시고 저희가 먹으려는 음식들을 축복해 주세요. 그리고 할아버지도 축복해 주시구요…… . 할아버지가 빨리 오시도록 도와 주세요. 감사합니다, 하나님."

서로의 잔을 들어 건배를 한 다음 우리는 침묵 속에 앉아 있었다. 아무도 할아버지의 부재를 인정하고 음식을 먹음으로써 캐리를 실망시키고 싶지 않았다. 복도에서 시계가 똑딱거렸다.

그때 갑자기 현관문 두드리는 소리가 들렸다. 캐리는 벌떡 일어나 복도를 달려갔다. 그리고는 서둘러 문을 땄다.

"할아버지!"

할아버지는 검은색 정장 차림으로 똑바로 서 계셨다. 할아버지가 가진 유일한 양복이었다. 한 손으로는 중절모를 들어 가슴께에 얹으시고 다른 손에는 갈색 종이봉지가 들려 있었다.

할아버지는 종이 봉지를 들어 보이며 말씀하셨다.

"마실 걸 좀 가져 왔다."

그로부터 두세 달 뒤 할아버지는 잠을 주무시던 채로 세상을 떠나셨다. 할아버지의 서랍장을 정리하다가 나는 파란색 봉투 하나를 발견했다. 안에는 접힌 종이쪽지가 들어 있었다. 캐리가 보낸 그 편지였다. 종이에는 어린아이의 서투른 그림으로 식탁과 다섯 개의 의자가 그려져 있었다. 그 중 한 의자는 빈 채로 남겨져 있었고, 나머지 네 의자에 앉은 사람들에는 엄마, 아버지, 존, 캐리라는 이름이 적혀 있었다. 그리고 네 사람의 가슴에는 하트 모양이 그려져 있었는데 그 하트는 한가운데가 금이 간 채로 갈라져 있었다.

존 카테나치

어머니

 나의 어머니는 누구보다도 따뜻하고 친절한 마음씨를 가진 분
이셨다. 언제나 음성이 밝고 분명했으며, 다른 사람을 위해 늘
뭔가를 하셨다. 우리는 또 가깝고 특별한 관계를 잃지 않았다.

 나의 어머니는 또 늘그막에 이르러 알츠하이머 병 때문에 두
뇌가 파괴되고 자신의 존재에 대한 기억들이 서서히 지워져 버
린 분이셨다. 어머니는 10년 전부터 우리로부터 서서히 미끌어
져 나가셨다. 나로서는 그것은 점진적인 죽음이었고, 서서히 진
행되는 이별이었으며, 끊임없는 슬픔의 과정이었다. 비록 어머
니는 자신을 돌볼 능력을 거의 상실하긴 했지만 적어도 가까운
가족만은 알아보셨다. 나는 그것마저도 오래 가지 않으리라는
걸 알았다. 그리고 마침내 2년 반 전에 그날이 찾아왔다.

 나의 부모님은 거의 날마다 우리를 방문해 즐거운 시간을 갖
곤 하셨다. 하지만 갑자기 마음 속의 연결이 끊어져 버렸다. 어
머니는 더 이상 내가 자신의 딸이라는 걸 모르셨다. 어머니는 우
리와 함께 시간을 보내고 나면 아버지에게 이렇게 말하곤 하셨

다.

"정말 이 사람들은 좋은 사람들이에요."

내가 당신의 딸이라고 말씀드려도 아무 소용이 없었다. 이제 나는 '좋은 이웃'의 자리에 머물러 있을 수밖에 없었다. 어머니를 껴안고 작별 인사를 할 때면 나는 눈을 감고 이 분이 여러 해 전까지만 해도 나의 어머니였다는 사실을 상기하곤 했다. 나는 지난 36년간 알고 지낸 어머니에 대한 모든 친숙한 느낌들을 떠올리곤 했다. 어머니의 따뜻하고 편안한 몸, 껴안을 때의 팔의 감촉, 어머니만의 부드럽고 감미로운 냄새…….

그 병이 가져다 준 이 부분은 나로서는 받아들이기가 무척 힘들었다. 그것에 어떻게 대처해야 할지 막막하기만 했다. 나는 그 무렵 내 인생에서 무척 힘든 시기를 통과하고 있었다. 그래서 어느 때보다도 어머니가 필요했다. 하지만 어머니는 내가 당신의 딸이라는 사실조차 모르고 계셨다. 나는 날마다 우리 둘 다를 위해, 그리고 내가 얼마나 어머니를 필요로 하고 있는가에 대해 신에게 기도했다.

어느 늦여름 오후, 저녁을 준비하고 있다가 나는 기도의 응답을 받았다. 나 자신도 믿어지지 않는 일이 일어났다. 부모님과 남편은 정원에 앉아 계셨는데 어머니가 갑자기 번개라도 맞은 듯 벌떡 일어나셨다. 어머니는 부엌으로 달려와 등 뒤에서 내 어깨를 부드럽게 잡으시더니 나를 돌려세웠다. 어머니의 눈 속에는 내가 누군지 알고 있다는 깊은 느낌이 자리잡고 있었다. 그 느낌은 시공간을 초월한 듯한 느낌이었다. 어머니는 눈물을 글썽이며 뜨거운 감정을 실어 내게 그것이 사실이냐고, 내가 정말로 당신의 딸이냐고 물으셨다. 감정에 압도되어 나는 외쳤다. 그렇다고, 그것이 사실이라고. 우리는 서로를 껴안고 울음을 터뜨렸다. 우리들 중 누구도 이 마술 같은 순간이 지나가는 걸 원치 않았다. 나는 그것이 왔을 때처럼 빠르게 지나가리라는 걸 알았다. 어머니는 그 동안에도 내게 친밀감을 느끼고 내가 좋은 사람이라는 걸 느끼고는 있었지만, 갑자기 내가 당신의 자식이라는 사실이 떠올랐노라고 말씀하셨다. 우리는 깊은 안도감과 환희를 느꼈다. 나는 신으로부터 받은 이 선물을 한껏 누렸다. 설령 그것이 그 순간이나 또는 한 시간, 아니면 하루 정도밖에 가지 않을지라도 우리는 그 끔찍한 병으로부터 잠시 집행유예를 받았으며, 다시 모녀간의 특별한 관계로 돌아갔다. 어머니의 눈에는 오래 전과 마찬가지로 다시 반짝임이 찾아왔다.

비록 어머니의 상황이 계속 나쁘게 진행되고는 있지만 어머니가 내 존재를 기억해낸 그 감미로웠던 여름 오후로부터 한 해가 흘렀다. 어머니는 늘 내게 특별한 시선과 미소를 보내신다. 그 시선과 미소는 이렇게 말씀하시는 것 같다.

"우리는 다른 누구도 알지 못하는 우리만의 비밀을 갖고 있지. 안 그러니?"

두세 달 전 어머니가 우리집에 오셨을 때 마침 다른 손님들이 와 있었다. 어머니는 내 머리칼을 어루만지며 그들에게 자랑스럽게 말씀하셨다.

"이 애가 내 딸이었다는 사실을 댁들도 알고 있었수?"

리사 보이드

소녀를 구출한 사람

　부모가 돌아가시고 없는 어린 소녀가 할머니와 함께 살고 있었다. 소녀는 이층의 자기 방에서 잠을 잤다.

　어느날 밤 그 집에 불이 나서 할머니는 소녀를 구하려다가 그만 숨을 거두었다. 불은 순식간에 번졌고 벌써 아래층은 불길에 휩싸였다.

　이웃들은 소방대에 연락한 다음 발을 구르며 서 있기만 했다. 불길이 모든 입구를 막아서 집 안으로 들어갈 수도 없었다. 소녀는 이층 창문에 나타나 울부짖으며 도움을 요청했다. 그때 군중들 사이에는 소방대의 도착이 늦어지리라는 소식이 전해졌다. 다른 곳에도 화재가 발생해 소방대원 모두가 그곳에 가 있다는 것이었다.

　갑자기 한 사람이 사다리를 들고 나타났다. 그는 그것을 집 벽에 기대고는 번개같이 올라가 집 안으로 사라졌다. 다시 나타났을 때 그의 팔에는 소녀가 안겨져 있었다. 그는 아래에서 기다리고 있는 사람들 팔에 그 아이를 인도하고 나서 밤의 어둠 속으로 홀연히 사라졌다.

조사 결과 아이에게는 살아 있는 친척이 아무도 없다는 사실이 밝혀졌다. 몇 주일 뒤 마을의 구민회관에서는 누가 아이를 집으로 데려가 키울 것인가를 결정하는 회의가 열렸다.

한 교사가 일어나 그 소녀를 키우고 싶다고 말했다. 교사는 자신이 소녀에게 좋은 교육 환경을 마련해 줄 수 있다는 점을 강조했다. 한 농부는 소녀를 자신의 농장에서 키우겠다고 제안했다. 농장에서 사는 것이 건강하고 안정된 어린시절을 보낼 수 있다는 점을 농부는 강조했다. 다른 사람들도 나름대로 소녀가 자신들과 함께 살면 좋은 이유들을 설명했다.

마침내 마을에서 가장 잘 사는 주민이 일어나 말했다.

"나는 이 아이에게 여러분들 모두가 지금까지 말한 좋은 조건들을 제공할 수 있습니다. 거기에다 돈과, 돈으로 살 수 있는 모든 것을 줄 수 있습니다."

회의가 진행되는 동안 소녀는 시선을 아래로 떨군 채 입을 다물고 앉아 있었다.

회의를 진행하는 의장이 말했다.

"그럼 다른 의견을 가지신 분은 안 계십니까?"

그때 한 남자가 회관 뒤쪽에서 앞으로 걸어나왔다. 그는 걸음걸이가 느렸고 어디가 아파 보였다. 맨 앞으로 걸어나온 남자는 어린 소녀 앞으로 곧장 다가가 두 팔을 내밀었다. 군중은 숨을 멈췄다. 그의 손과 두 팔은 심한 화상을 입은 상태였다.

소녀가 외쳤다.

"이 분이 바로 저를 구해 주신 분이에요!"

소녀는 펄쩍 뛰어올라 자신의 생명을 의지하듯 그 남자의 목에 두 팔을 안았다. 그 운명적인 날 밤 그랬던 것처럼. 소녀는 남자의 어깨에 얼굴을 파묻고 몇 분간 흐느껴 울었다. 그런 다음 고개를 들고 남자에게 미소를 지었다.

의장이 모두에게 말했다.

"그럼 오늘 회의는 이것으로 마치겠습니다."

작자 미상

어린 눈이 당신을 보고 있다

여기 어린 눈이 있어 당신을 지켜본다.
밤이나 낮이나 당신을 보고 있다.
여기 어린 귀가 있어
당신이 하는 모든 말들을 남김없이 듣고 있다.
여기 어린 손이 있어
당신이 하는 모든 일을 따라하고 싶어한다.
그리고 여기 당신처럼 될 날을 꿈꾸는
어린 소년이 있다.

당신은 그 어린 친구의 우상이며
그에게 있어서 당신은
세상에서 가장 지혜로운 사람이다.
그의 어린 마음은
당신에 대한 어떤 의심도 일으키지 않는다.
그는 무조건 당신을 믿으며

당신이 말하고 행동하는 모든 것을 받아들인다.
그는 당신처럼 어른이 됐을 때
당신이 하던 방식 그대로 말하고 행할 것이다.

여기 당신이 항상 옳다고 믿는
커다란 눈의 어린 친구가 있다.
그의 눈은 언제나 열려 있고
그는 밤이나 낮이나 당신을 지켜본다.
당신은 날마다 당신이 하는 모든 행동 속에서
하나의 본보기가 되고 있다.
어서 어른이 되어 당신처럼 되기를
기다리고 있는 그 어린 소년에게.

작자 미상
로널드 달스턴 제공

3

죽음에 대하여

죽음은 하나의 도전이다.

그것은 우리에게 시간을 낭비하지 말라고 말한다.

그것은 우리에게 지금 당장

서로에게 사랑한다고 말하라고 가르친다.

레오 F. 버스카글리아

빛에 둘러싸여

6년 전까지만 해도 캘리포니아 길로이를 대표하는 것은 마늘이었다. 그러다가 작은 천사가 태어났다.

샤논 브레이스는 엄마 로리에게는 거의 기적이나 다름없는 아기였다. 로리는 지난 수년 동안 아이를 낳지 못했으며, 앞으로도 아이를 가질 수 없다는 진단을 받았었기 때문이다. 그런 의학적인 예상에도 불구하고 로리는 쌍둥이를 낳았다. 하지만 석달 반만에 한 아이가 숨지고, 다른 아이인 샤논만 살아남았다.

샤논 역시 불과 세살 반이라는 나이에 암 진단을 받았다. 이때부터 어린 샤논은 결코 포기하지 않는 강한 의지를 나타냈다. 의사는 샤논이 오래 가지 못할 것이라고 말했다. 하지만 주위 사람들의 사랑과 본인 자신의 굳은 의지 덕분에 샤논은 몇 년을 더 살았다.

이 시기를 전후해 의사는 샤논의 골반뼈에서 골수를 채취해 검사를 시도했다. 검사 결과 샤논은 척추 속에 종양이 생겼거나 또는 생식세포에 암이 발생한 것으로 판명되었다. 매년 전국적으로 암에 걸리는 아이가 7천 5백 명인데 그 중에서 생식세포 암인 아이는 1퍼센트인 75명밖에 되지 않는다. 그만큼 샤논이 걸린 병은 희귀한 병이었다.

샤논은 2년에 걸쳐 화학요법을 받은 뒤 척수 이식 수술을 받았다. 이 수술은 누구도 결과를 장담할 수 없는 대단히 위험한 수술로 알려져 있다. 척수 이식과 더불어 강력한 화학치료는 샤논을 끊임없이 삶과 죽음 사이를 오가게 만들었다.

화학요법을 받고 나면 샤논은 평생동안 걸을 수도 없고 팔다리가 마비될 것이라는 의사의 경고가 있었다. 그러나 의사의 예측은 빗나갔다. 샤논은 몸무게가 불과 10.8킬로그램밖에 나가지 않았지만, 어쨌든 걸었다. 엄마 로리는 말한다.

"그 아이의 의지는 정말 아무도 믿을 수가 없을 정도였어요."

샤논의 용기는 모두를 놀라게 했다. 샤논은 어떤 절망적 상황에서도 포기하는 법이 없었다. 그 결과 샤논은 산타 클라라 미인대회에서 용기 있는 사람에게 주는 특별상을 받기도 했다.

샤논의 병명이 밝혀질 무렵 샤논의 아버지 래리가 오토바이 사고로 불구가 되는 일이 일어났다. 목과 척추와 두 다리가 부러지는 큰 부상이었다. 샤논과 함께 줄곧 집안에서 지내야만 했던 래리는 이렇게 말한다.

"샤논은 살고자 하는 강한 의지를 갖고 있었어요. 사람들의 생각이 틀렸다는 걸 증명해 보이고자 했지요."

샤논의 가족 모두는 희망을 잃지 않으려고 노력했다. 샤논은 겉으로만 봐서는 전혀 자신이 죽어가고 있음을 알고 있는 아이로 보이지 않았다. 언제나 쾌활하고 주위 사람들에게 관심과 사랑을 쏟았다. 스탠포드 의료 센터에 머물고 있는 동안 샤논은 어른들이 평생동안 겪는 것보다 더 많이, 자신이 사랑하는 친구들을 저세상으로 떠나 보냈다.

의식이 뚜렷할 때면 샤논은 한밤중에 깨어나 똑바로 앉아서 부모를 붙들고 자신을 하늘나라로 보내지 말아달라고 부탁했다. 로리는 그럴 때마다 한숨짓곤 했다.

"나도 너와 약속할 수만 있다면 얼마나 좋겠니."

때로 샤논은 대단히 직선적이었다. 하루는 엄마와 함께 수퍼마켓에 들렀을 때 어떤 다정한 남자가 짐짓 농담삼아 말했다.

"댁의 아드님 머리를 빡빡 깎으셨군요."

샤논이 즉각적으로 대답했다.

"아저씨, 저는 여자아이구요, 암에 걸려서 곧 죽을지도 몰라요."

어느날 아침 샤논이 심하게 기침을 하자 엄마가 말했다.

"아무래도 다시 스탠포드 병원으로 가는 게 좋겠다."

샤논이 빽 소리를 질렀다.

"싫어요! 난 괜찮단 말예요!"

"내 생각엔 가는 게 좋을 것 같다, 샤논."

"아니라니까요. 난 감기에 걸렸을 뿐이에요."

"샤논, 더 늦기 전에 가야만 해!"

"좋아요. 그럼 딱 3일만 가서 있는 거예요. 안 그러면 난 자동차를 얻어 타고 집으로 돌아올 거예요."

샤논의 인내심, 그리고 인생을 긍정적으로 보는 자세는 주위 사람들에게 항상 많은 생명력을 선사했다. 샤논 주위에 있게 된 사람들은 그런 점에서 큰 행운이었다.

샤논은 자신보다는 자신의 바깥 세계, 그리고 자신이 필요로 하는 것보다는 다른 사람들이 필요로 하는 것에 더 많은 관심을 가졌다. 때로는 몹시 아파서 병원 침대에 누워 있다가도 종종 벌떡 일어나 같은 병실의 환자들의 요구사항을 거들어 주곤 했다.

또 어떤 날은 처음 보는 사람이 매우 슬픈 얼굴을 하고 집으로 걸어가고 있는 것을 보고는 샤논은 밖으로 뛰어나가 그에게 꽃을 한 송이 건네 주면서 좋은 하루가 되기를 빈다고 말했다.

어느 금요일 오후, 샤논은 자신이 좋아하는 낡은 담요를 꼭 움켜쥐고서 스탠포드 소아과 병동에 누워 있었다. 샤논의 입술에서 자신도 모르게 신음소리가 흘러나왔다. 마취 주사에서 깨어나는 동안 샤논은 딸꾹질과 흐느낌을 반복했다. 의식이 회복되는 순간 샤논은 자신의 몸 상태에 대해선 잊어버리고 주위 사람들의 안부부터 물었다.

눈을 뜨자마자 샤논이 한 첫마디 말은 엄마에게 이렇게 물은 것이었다.

"엄마, 괜찮아?"

눈물을 글썽이며 엄마가 말했다.

"난 괜찮다, 샤니. 넌 어떠니?"

가족의 의료보험으로는 치료비를 다 댈 수 없었기 때문에 샤논은 지역의 성금 모으기 운동에 직접 참여했다. 길로이 통조림 공장으로 걸어들어간 샤논은 맨 처음 만난 사람과 대화를 시작했다. 샤논은 항상 빛으로 가득 차 있었고 모두를 사랑했다. 샤논의 생각 속에는 사람들이 서로 다르다는 편견이 조금도 자리하고 있지 않았다. 샤논은 마침내 그 남자에게 말했다.

"전 암에 걸렸고 곧 죽을지도 몰라요."

나중에 샤논을 위해 그 통조림 공장에서 통조림 몇 개를 기부하지 않겠느냐는 부탁을 받았을 때 그 남자는 말했다.

"그 아이가 원하는 것이면 뭐든지 주겠소. 그리고 내 명함도 그 애에게 주시오."

샤논의 어머니 로리는 샤논뿐 아니라 불치병에 걸린 모든 아이들에 대해 다음과 같이 요약해서 말한다.

"그들은 자신에게 주어진 생명의 모든 부분을 끝까지 다 활용해요. 그들은 자신에 대해선 중요하게 생각하지 않아요. 그들이 중요하게 여기는 것은 그들 주위에 있는 세상이죠."

다섯살이 되어 샤논이 삶과 죽음 사이를 오가고 있을 때 가족들은 이제 샤논이 떠날 시간이 됐음을 알았다. 샤논의 침대 주위에 모여서 사람들은 그녀에게 빛의 터널을 향해 걸어가도록 용기를 불어넣었다.

그러자 샤논이 대답했다.

"빛이 너무 눈부셔요."

천사들을 향해 걸어가라고 격려하자 샤논은 투덜거렸다.

"천사들이 너무 시끄럽게 노랠 부르는군요."

길로이 공원묘지에 있는 어린 샤논의 무덤에 가면 묘비명에 그녀의 가족이 이렇게 적어 놓은 것을 읽을 수 있다.

"언제나 다른 천사들과 손을 잡고 걸어가기를! 우리의 사랑을 바꿔 놓을 것이란 이 세상에 아무것도 없다."

1991년 10월 10일, 길로이의 지방 신문 〈디스패치〉는 13살의 다미엔 코다라가 샤논에게 보낸 편지를 소개했다. 샤논이 세상과 작별하기 직전에 쓰여진 편지로, 그 전문을 여기에 옮겨 싣는다.

샤논, 너보다 먼저 여행을 떠난 사람들이 너를 기다리고 있는 그 빛의 세계로 가거라. 그들은 두 팔 벌려 너를 맞아줄 거야. 사랑과 웃음과 행복으로 말야. 그런 것들은 여기 이 지상에서나 천국에서나 모든 사람이 느낄 수 있는 것이겠지. 샤논, 그곳에는 고통이나 아픔이 없을 거야. 슬픔은 절대로 불가능하지. 네가 그 빛 속으로 걸어들어갈 때 넌 너보다 앞서 신비롭게 네 곁을 떠나갔던 너의 친구들을 모두 만날 수 있을 거야. 넌 그동안 암이라는 사악한 병과 너무도 용감하게 싸웠어. 죽음의 신이 내미는 분노로 가득한 검은 손을 영리하게 뿌리치면서.

아직 세상에 남아 있는 우리들은 널 무척 그리워할 것이고, 너의 특별함을 오래도록 기억할 거야. 넌 우리의 가슴과 정신 속에 언제까지나 살아 있을 거야. 넌 너를 아는 모든 사람들이 서로에게 가까워질 수 있는 하나의 이유가 돼 주었어.

진정으로 놀라운 것은 네가 네 앞에 어떤 문제와 장애물들이 가로놓여 있다 해도 넌 끊임없이 그것들 모두를 뛰어넘고 이겨냈다는 것이지. 그러나 슬프게도 마지막 싸움이 너를 눌러 버렸어. 우리는 네가 포기했다고 생각하지 않아. 그보다는 너의 용기와 도전하는 정신에 감동받을 뿐이지.

그래도 우리는 안심이야. 네가 마침내 평범한 어린 소녀로 돌아간 자유로움을 느낄 테니까. 우린 알고 있어. 네가 짧은 인생 동안 우리 모두가 앞으로 성취할 모든 것보다 더 많은 걸 성취했다는 걸 말야.

네가 가닿았던 가슴들은 그 사랑의 느낌을 결코 잊지 않을 거야. 그러니 네가 어둠의 터널 속에서 갑자기 자신이 혼자라는 걸 발견하고 멀리 바늘구멍만한 빛밖에 보이지 않거든, 샤논, 우리를 기억하고, 용기를 갖고 그 빛으로 나아가야 해.

도나 로에쉬

모든 이유에서 가장 좋은 친구

어린아이였을 때 나는 내가 왜 오직 사람들만을 위해 기
도해야 하는지 이해가 가지 않았다. 어머니가 내게 잘 자라
고 밤인사를 할 때면 나는 모든 살아 있는 존재들을 위해 내
가 직접 만든 침묵의 기도를 올리곤 했다.

알버트 슈바이처

내가 처음 그녀를 보았을 때 그녀는 내 주의를 끌려고 펄쩍펄
쩍 뛰면서 요란하게 짖어대는 서너 마리의 개들 한가운데 앉아
있었다. 조용한 위엄을 갖추고서 그녀는 커다란 갈색 눈으로 나
를 쳐다보았다. 부드럽고 촉촉한 눈이었다. 그 눈은 우리 둘을
동물 가게의 철창을 뛰어넘어 멀리 다른 세계로 데려다 주는 듯
했다. 눈은 그녀의 얼굴에서 가장 아름다운 부분이었다.

그녀의 나머지 부분은 대단한 유머 감각을 가진 누군가 사람
들을 웃기기 위해 마구잡이식으로 조합시켜 놓은 듯했다. 닥스
훈트(짧은 다리에 몸이 긴 독일산 개)의 머리에다 테리어의 얼

룩점들, 다리는 코르기(웨일즈 산의 다리가 짧고 몸통이 긴 개)의 다리를 닮았고, 꼬리는 아마도 도베르만을 닮았다고 할까? 무엇보다도 그녀는 형편없는 시력을 갖고 있었다. 어쨌든 내가 여태껏 본 가장 못 생긴 개였다.

나는 그녀에게 수키 수 쇼라고 이름을 지어 주었다. 사실을 알아보니 수키는 우리가 처음 만났을 때 생후 서너 달밖에 안 된 강아지였다. 하지만 14년이나 15년은 늙어 보였다. 수키가 생후 여섯 달이 됐을 때 사람들은 말하곤 했다.

"저 개는 대체 몇 살이나 먹었어요? 마치 평생을 당신과 함께 산 개 같군요."

여섯 달밖에 안 된 강아지라고 말하면 상대방은 한동안 침묵을 지키거나 때로는 그것으로 대화가 끝나 버리기도 했다. 수키는 해변에서 마주치는 내 맘에 드는 멋진 남자들로부터 대화의 시작을 유도할 수 있는 그런 개가 도저히 아니었다. 단지 수키에게서 동병상련을 느낀 늙은 부인들만 말을 걸 뿐이었다.

그래도 수키는 다정하고, 사랑스럽고, 매우 영리했다. 특히 내가 조각난 사랑 때문에 괴로워하고 쓰라린 기억을 지우기 위해 누군가 동무를 필요로 할 때면 더욱 그랬다. 수키는 내 발 끝에서 자는 걸 좋아했다. 아니, 내 침대 끝이 아니라 바로 내 발 위에서 자는 걸 좋아했다는 뜻이다. 그래서 내가 잠을 자다가 몸을 뒤척이려고 할 때마다 수키의 둥근 몸집의 무게가 느껴졌다. 나는 마치 내 다리가 무거운 맷돌 아래 깔려 있는 듯한 기분이었다. 마침내 우리는 평화적인 해결책을 찾았다. 수키는 내 발 위에서 자고, 나는 침대에서 자주 뒤척이지 않는 습관을 길들였다.

수키와 함께 살다가 나는 내 첫남편을 만났다. 남편은 내가 개를 키우는 것을 좋게 생각했다. 그 역시 개를 키우고 있었기 때문이다. 당시 그와 함께 생활하던 룸메이트는 그의 개를 더 이상 집 안에 두는 걸 원치 않았다. 더 이상 앉을 가구가 남아 있지 않았기 때문이었다. 그 개가 모든 가구를 갉아먹어 버렸던 것이다. 내 남자친구는 무척 기뻐했다. 자신의 개를 내 개와 함께 두면 그 개가 가구를 먹어치우는 일 말고 하루 종일 다른 할 일이 있을 것이라고 생각했기 때문이다. 그 예측은 정확히 들어맞았다. 그의 개는 내 개를 임신시켰다.

나는 그때 수키와 함께 해변 산책을 마치고 막 집에 돌아왔을 때였다. 내 눈에는 수키의 모습이 달라진 게 없는데도 반경 5킬로미터 내에 있는 모든 수컷 개들에게 수키가 요부처럼 보이는 모양이었다. 수키는 자신이 마치 개 콘테스트의 여왕으로 뽑히기라도 한 것처럼 꼬리를 처들고 거만하게 목을 치켜세웠다. 집집마다에서 온갖 종류의 수캐들이 몰려나와 해변가까지 따라왔다. 그것도 마치 자신들이 곧 죽기라도 하는 것처럼 신음하고 흐느껴 울면서.

나는 곧 사태를 알아차렸다. 수키는 때가 된 게 틀림없었다. 내 남자친구의 개는 여덟 달밖에 안 된 강아지였다. 그래서 나는 동물병원에 전화를 해 수키를 '시집' 보낼 날짜를 정할 때까지 두 마리를 한 방에 넣어 둬도 안전하다고 생각했다. 그것은 전적으로 나의 무지였다.

내가 고개를 돌렸을 때 수키와 남자친구의 개가 붙어 있었다. 그것도 내 거실에서! 나는 너무 놀라서 자빠질 지경이었다. 내가 할 수 있는 일이라곤 경악한 얼굴로 그곳에 앉아서 무슨 해결책이 생기길 기다리는 것뿐이었다. 우리 모두는 기다렸다. 두 마리의 개는 숨을 헐떡거리기 시작했다. 수키는 지루한 듯했다. 남자친구의 개는 지쳐 보였다.

나는 남자친구에게 전화를 걸어 당장 집으로 와서 그 성적인 악마를 당장 데려가라고 소리쳤다. 나는 조금 더 기다렸다. 그러다가 더 이상 참을 수 없어서 집 밖으로 나가 정원을 손질했다. 남자친구가 회사일을 마치고 개를 데리러 왔을 때 두 마리의 개는 거실 카펫 위에 앉아서 꾸벅꾸벅 졸고 있었다. 개들이 너무 순진무구해 보여서 나는 내가 상상한 일이 벌어진 건 아닌가 보다고 생각했을 정도였다.

수키가 임신한 것은 눈으로 봐도 대번에 알 수 있었다. 안 그래도 둥근 몸집이 점점 부풀어올라서 개구멍을 드나들 때는 비행선처럼 꽉 찼다. 수키는 이제 달리기를 하거나 빨리 걸을 수조차 없었다. 그 대신 부푼 몸을 좀더 편안히 움직이기 위해 이 방에서 저 방으로 굴러다니거나 비틀거리며 걷는 방식을 스스로 터득했다. 고맙게도 수키는 내 발 위에서 자는 걸 포기했다. 침대 위로 뛰어올라올 수가 없었던 것이다. 그래서 나는 수키를 위해 침대 밑에 잠자리를 만들어 주었다.

나는 수키의 몸매를 유지하려면 날마다 운동이 필요하다고 결론을 내렸다. 그래서 수키를 데리고 오후의 해변 산책을 계속했다. 모래사장에 도착하자마자 수키는 전처럼 꼬리와 머리를 치켜올리고 뽐내며 걸으려다가 모래 위로 쭉 미끄러지곤 했다. 그러면 뱃속의 강아지들은 이리저리 쏠려다녔고, 그 요동 때문에 새끼들이 멀미를 하지 않나 걱정이 되었다.

　수키의 출산을 돕기 전에는 난 어떤 출산에도 자리한 적이 없다. 매우 이른 시각인데 수키가 자꾸만 침대 커버를 잡아당겨 코로다가 자기 집에 집어넣으려고 해서 나를 긴장시켰다. 수키가 필요로 하는 것에 맞춰 줄 수 있도록 나는 자지 않고 수키의 보금자리 옆에 앉아 있었다. 마침내 수키가 첫번째 강아지를 출산했다. 강아지는 마치 어떤 종류의 봉지 속에 들어 있는 듯했다. 난 수키가 제발 모든 과정을 알고 하기를 바랐다. 나는 아무것도 몰랐기 때문이다. 세상에! 갓난 새끼는 정말이지 끈적끈적하고 질척질척해 보였다. 수키는 강아지를 깨끗하게 핥아 준 다음 옆으로 내려놓아 자게 했다. 나는 다시 침대 속으로 들어갔다.

　이십 분 뒤, 다시 침대 커버가 벗겨진 걸 알고 나는 잠에서 깼다. 또 다른 강아지가 태어나 있었다. 이번에는 나는 수키와 함께 기다리면서 다음 강아지가 나올 때까지 수키에게 말을 건넸다. 나는 전에 내가 개와 한번도 토론해 보지 않은 주제들에 대해 얘기했다. 내 마음 속에 담긴 말들을 수키에게 쏟아놓았고, 내가 잃어버린 사랑과 수키가 오기 전까지 내가 내 안에 갖고 있던 공허감 등에 대해 털어놓았다. 수키는 내가 떠드는 것에 대해서, 또는 자신이 경험하고 있는 출산의 떨림에 대해서 전혀 불평하지 않았다.

　우리는 날이 밝아올 때까지 깨어 있었다. 수키와 나는 얘기를 나누고, 강아지를 낳고, 태어난 강아지를 핥아 주었다. 물론 얘기를 한 쪽은 나였고 수키는 후자의 일들을 했다. 수키는 한번도 울거나 신음하지 않았다. 단지 자신의 새끼 강아지들이 도착한 순간부터 그들을 사랑하기 시작했을 뿐이다. 그것은 내 인생에서 가장 충만된 경험 중의 하나였다.

강아지들은 한 마리도 수키를 닮지 않았다. 내 남자친구의 개를 닮은 것도 아니었다. 여섯 마리 중에서 세 마리는 작은 검정색 라브라도(캐나다 원산의 새사냥개, 경찰견)를 닮았고, 나머지 세 마리는 등에 검은 줄무늬가 난 닥스훈트처럼 생겼다. 모두가 귀여웠다. 내 친구들은 수키의 새끼들을 서로 갖기 위해 줄을 섰고, 다행히 나는 수퍼마켓 앞에서 박스 속에다 새끼들을 넣고 주인이 될 사람을 기다리지 않아도 되었다.

남자친구와 나는 결혼을 했고, 이사를 했다. 우리는 수키를 데려갔고 그의 개는 다른 친구에게 줘 버렸다. 그가 그 점에 대해 나를 용서했는지 어떤지에 대해선 난 확신이 없다. 우리는 뛰어놀 넓은 들판이 있는 지역으로 이사를 했다. 수키는 그곳을 맘껏 활용했다. 수키는 맹렬한 속도로 들판을 달리다가 사라지곤 했다. 잠시 동안 수키의 머리 끝과 귀가 바람에 펄럭이는 것만을 볼 수 있을 뿐이었다. 그러다가 잠시 후 수키는 겸연쩍은 표정으로 숨을 헐떡이며 나타나곤 했다. 나는 수키가 정말로 토끼를 잡았는지는 잘 모른다. 하지만 수키가 최선의 노력을 했다는 걸 나는 안다.

수키는 아무것이나 다 먹었다. 그것도 깨끗이. 어느 오후 나는 내가 다니는 교회의 저녁 모임을 위해 250개의 초콜릿 칩을 만들었다. 어떻게 봉지를 끌어내렸는지는 모르지만 내가 집을 비운 사이에 수키는 쿠키 봉지 속으로 얼굴을 들이밀고서 약간만 먹거나 거의 다 먹은 게 아니라 모든 쿠키를 단 한 조각도 남기지 않고 완전히 먹어치웠다. 250개 모두.

집에 돌아왔을 때 나는 어떻게 수키가 한 시간 전에 임신을 해서 그렇게 갑자기 배가 불러질 수 있는지 도무지 이해가 안 갔다. 그런데 이번에는 수키가 신음을 하고, 숨을 헐떡이고, 거동이 무척 불편해 보였다. 무슨 일이 벌어진 것인지 몰라서 나는 당장 수키를 데리고 동물병원으로 달려갔다. 수의사는 개가 뭘 먹은 것이냐고 물었다. 나는 아직 밥도 먹이지 않았다고 대답했다. 수의사는 한참 동안 눈썹을 찡그리고 있더니 단호하게 말했다. 이 개는 분명히 뭘 먹었으며, 그것도 굉장히 많이 먹었다고.

일단 수키를 하룻밤 동안 그곳에 맡겨 두기로 하고서 나는 교회 저녁 모임에 가져갈 쿠키를 챙기러 집으로 돌아갔다. 그런데 250개의 쿠키가 어디로 사라진 걸까? 나는 위건 아래건 다 뒤졌다. 집을 나서기 전에 분명히 그것을 찬장 속에 넣었었다. 나는 어쩐지 이상한 예감이 들어 뒷마당으로 나갔다. 그곳에 쿠키가 담겨 있던 아홉 개의 비닐 봉지가 나란히 놓여 있었다. 봉지가 찢어지거나 마구 흐트러져 있지도 않았다. 단지 안이 텅 비어 있을 따름이었다.

나는 수의사에게 전화를 걸어 250개의 초콜릿 쿠키와 오트밀 쿠키가 사라졌노라고 설명했다. 수의사는 그건 불가능하다고 말했다. 세상의 어떤 동물도 250개의 초콜릿 쿠키와 오트밀 쿠키를 먹고서 성한 채로 살아 있을 수는 없다는 것이었다. 의사는 밤에 수키를 잘 지켜보겠다고 말했다. 나는 다시는 그 쿠키들을 구경할 수 없었다. 그리고 수키는 이튿날 집으로 돌아왔다. 그 사건 이후부터 수키는 쿠키를 별로 좋아하지 않았지만 그래도 누군가 계속 권하면 할 수 없다는 듯 받아먹었다.

세월은 흘러 수키의 외모와 실제 나이가 걸맞는 시기가 다가왔다. 수키는 이제 열여섯살이었고, 힘든 시기를 맞이하고 있었다. 계단들은 오르기가 힘들었고 신장이 나빠져 몸이 경련을 일으켰다. 수키는 오랫동안 내 친구였다. 때로는 내 유일의 진정한 친구였다. 인간과의 우정은 변하기 쉽고 잊혀지기 쉽다. 그러나 수키와 나와의 우정은 굳건하고 변함이 없었다. 그 사이에 나는 이혼을 했고, 재혼을 했으며, 마침내 내 인생이 제대로 흘러가는 듯한 느낌을 갖기에 이르렀다. 나는 수키가 늙음으로 인해 고통받는 것을 더 이상 견딜 수가 없었다. 선택의 여지가 없었다. 수키에게 고통 없는 죽음을 맞이하고 영원한 잠에 들게 해주는 일밖에 남아 있지 않았다.

나는 수의사와 약속을 하고 수키를 팔에 안아 차로 데려갔다. 내가 느끼기에 수키는 자신에게 닥친 불행을 예감하고 있었다. 그럼에도 불구하고 수키는 가능한 한 내 곁에 달라붙었다. 수키는 지금까지 내가 자신에 대해 걱정하는 걸 결코 원치 않았었다. 수키가 나로부터 원하는 것은 언제나 나의 사랑이었다. 평생을 통털어 수키는 한번도 애처로운 소리로 울거나 눈물 흘린 적이 없었다. 그러나 난 어땠는가? 난 나 자신 때문에, 그리고 수키 때문에 많이 울고 눈물도 많이 흘렸다.

마지막으로 함께 차를 타고 가면서 나는 내가 수키를 얼마나 사랑하며, 수키에 대해 얼마나 자부심을 느끼고 있는가를 수키에게 말했다. 수키의 진정한 아름다움이 늘 밖으로 비쳐나왔었다. 한때는 수키를 못 생겼다고 생각했지만 그런 생각을 잊은 지

오래였다. 나는 수키가 내 관심과 사랑을 애걸하지 않고, 그 대신 우아함과 기품으로 그것들을 받아줘서 얼마나 고마웠는지 모른다고 수키에게 고백했다. 수키는 내 사랑과 관심을 받을 자격이 있는 존재라는 걸 스스로 알고 있었다. 동물에게도 왕족이 있다면 수키가 바로 거기에 해당하리라. 왜냐하면 수키는 왕비에게 어울리는 위엄을 갖추고 삶을 누리는 능력을 가졌기 때문이다.

나는 수키를 데리고 수의사 사무실로 들어갔다. 수의사는 내게 마지막 순간까지 개와 함께 있기를 원하느냐고 물었다. 나는 그렇다고 대답했다. 차가운 살균 테이블 위에 수키가 누워 있는 동안 나는 두 팔로 수키를 안아 조금이라도 따뜻하게 해 주려고 노력했다. 수의사는 수키의 삶을 끝낼 주사기를 가지러 안으로 들어갔다. 수키는 일어서려고 시도했다. 하지만 본인이 원한다 해도 이미 수키는 더 이상 자신의 다리로 일어설 힘이 없었다.

오랜 시간 우리는 서로의 눈을 들여다보았다. 부드럽고 신뢰감으로 가득 차 있는 축축한 갈색 눈과, 눈물로 가득 찬 내 푸른 눈이 서로를 응시했다.

"준비됐나요?"

수의사가 물었다. 나는 그렇다고 대답했다. 하지만 아니었다. 난 거짓말을 한 것이다. 난 내 삶에서 수키와 함께 한 사랑을 포기할 준비가 결코 돼 있지 않았다. 또 수키를 포기하고 싶지도 않았다. 그러나 난 그렇게 해야만 한다는 걸 알았다. 수키와 나와의 연결이 끊어지는 걸 난 원치 않았고, 수키도 그걸 원치 않는다는 것이 느껴졌다. 마지막 순간까지 수키는 내 눈을 바라보았다. 그런 다음 나는 죽음이 수키의 시선 속으로 서서히 스며드는 것을 보았다. 내 가장 좋은 친구가 떠나갔다는 걸 난 알았다.

난 자주 생각한다. 동물들이 우리에게 보여 주는 그런 속성들을 우리들 인간 존재가 얻어 가질 수만 있다면 세상은 훨씬 더 좋은 곳이 되리라고. 수키는 내게 충성심과 사랑, 이해와 너그러움을 보여 주었다. 언제나 귀부인다운 자연스런 방식으로. 그리고 용서하는 마음을. 그렇게 일관된 자세로 수키가 내게 준 그 무조건적인 사랑을 내가 내 자식들에게 보여 줄 수만 있다면 난 그들이 지구의 표면 위에서 가장 행복하고 가장 믿을 수 있는 인간으로 성장하리라고 확신한다. 수키는 내게 좋은 본보기가 되어 주었으며, 난 수키가 날 자랑스럽게 여기도록 노력할 것이다.

사람이 죽으면 저쪽 세계로 가서 우리가 알고 지내고 사랑한 사람들을 만나게 된다고 세상에선 말한다. 난 안다. 누가 날 기다리고 있을지…… . 작고, 둥글고, 늙은 얼굴을 한 개가 그곳에 있을 것이다. 자신의 가장 좋은 친구와 재회한 기쁨에 짧고 억센 꼬리를 마구 흔들어댈 한 마리의 개가.

패티 한센

어느 영웅의 이야기

베트남 군사 원조 사령부(MACV)는 나를 별 사고 없이 사이공에서 필리핀에 있는 클라크 공군 기지로, 클라크에서 괌으로, 다시 괌에서 하와이로 이송시켜 주었다. 하와이에 도착한 나는 무슨 이유 때문에 내가 전쟁에 참여하러 떠났던가를 새삼 돌이키게 되었다. 거리에는 아가씨와 처녀들이 많았다. 바라보는 것만으로도 나를 미소짓게 만드는 아름다운 여성들이 물결치고 있었다. 성차별주의자, 또는 남성 우월주의자의 생각처럼 들리는가? 미안하다. 그러나 잊지 말라. 그때는 70년대 초반이었다. 남성들은 아직도 여성들을 곁눈질하거나 넋을 잃고 바라볼 권리를 갖고 있던 시대였다. 하와이는 특히 그런 짓을 하기에 좋은 장소였다.

나는 하룻밤을 하와이에서 머문 뒤, 호놀룰루에서 로스앤젤레스로, 다시 거기서 달라스로 날아갔다. 그리고는 모텔에 들어가 낮부터 그 이튿날 아침까지 줄곧 잠을 잤다. 그래도 아직 머리가 멍했다. 그럴 수밖에 없는 것이 1만 4천 킬로미터의 거리를 여행한 뒤였고, 아직도 몸은 사이공의 시간대에 있었다. 나는 또 내 자신이 그 필연적인 만남을 거부하고 있었다고 생각한다. 난 신디 콜드웰을 대면하는 게 두려웠다. 신디에게 그녀의 남편이 죽었으며 난 살아남았다고 말하는 것이 두려웠다. 죄책감이 나를 사로잡았다. 그것은 지금도 마찬가지다.

달라스 공항에서 버스를 집어타고 나는 다시 4백 킬로미터 떨어진 텍사스의 뷰먼트로 향했다. 텍사스는 추웠다. 나 역시 추웠다.

나는 벨을 누르지도 못하고 현관에 서 있었다. 어떻게 한 여성과 그녀의 아이들에게, 그들 삶 속에 있던 한 남자가 다시는 집에 돌아올 수 없다고 말할 것인가? 난 너무 괴로웠다. 도망치고 싶은 강한 욕망과, 내가 잘 알지는 못하지만 내 삶에 큰 변화를 가져다 준 한 남자와의 약속 사이에서 괴로워했다. 난 무슨 일이 일어나 주기를 기다리며 막연히 그곳에 서 있었다. 나로 하여금 초인종을 누를 수 있도록 도와 줄 무슨 일인가.

비가 내리기 시작했다. 난 현관문 앞에 두려움과 죄책감으로 얼어붙은 채 마냥 서 있었다. 나는 또다시 콜드웰의 조각난 시신을 떠올리고, 그의 목소리를 듣고, 그의 갈색 눈을 들여다보았으며, 그의 고통을 느꼈다. 백번도 넘게 그것들이 내게 떠올랐다. 나는 울었다. 그를 위해 울었고, 그의 아내와 자식들, 그리고 나 자신을 위해 울었다. 난 앞으로 나아가야만 했다. 내 자신은 살아남았지만 다른 많은 사람들이 그 비극적이고 무의미한 전쟁에서 사라졌다는 기억을 안은 채 살아가야만 했다. 아무것도 증명하지 못하고 아무것도 얻지 못한 그 전쟁에서.

석탄재를 깔아 굳힌 도로에 타이어 미끄러지는 소리가 들리면서 나를 궁지에서 꺼내 주었다. 어떤 낡고 부서지기 직전인 빨간색 플리머스(미국산 자동차의 하나) 택시 한 대가 길가에 서고 중년의 흑인 여자가 내렸다. 셜록 홈즈식 누더기 모자를 쓴 늙은 흑인 운전사도 함께 내렸다. 그들은 벙어리가 된 채 미동도 하지 않고 서 있는 나를 쳐다보았다. 백인 남자가 이 완전한 흑인 동네에 와서 뭘 하고 있는 걸까 의심하는 눈초리였다.

나는 여전히 그들을 바라보며 그곳에 서 있었다. 그들은 뭐라고 얘길 나누더니 갑자기 여인의 얼굴이 공포에 사로잡혔다. 그녀는 들고 있던 꾸러미를 바닥에 떨어뜨리더니 비명을 지르면서 나를 향해 돌진해 왔다. 운전사가 뒤에서 뭐라고 소리쳤지만 여자는 한번에 두 계단씩 단숨에 뛰어올라 양손으로 내 코트를 움켜잡고 소리쳤다.

"뭐야, 어서 말해! 넌 대체 누구고, 내 아들한테 무슨 일이 일어난 거지?"

'오, 하나님!' 난 생각했다. '콜드웰의 어머니를 만났군.'

나는 손을 들어 여자의 손을 잡으며 최대한 부드러운 목소리로 말했다.

"제 이름은 프레드 펄스이고 전 지금 신디 콜드웰을 만나러 왔습니다. 여기가 그 여자의 집인가요?"

여자는 날 쳐다보면서 내가 방금 한 말이 무슨 뜻인지 이해하려고 애쓰고 있었다. 한참 뒤 그녀는 마구 떨기 시작했다. 그녀의 몸이 어찌나 격렬히 몸부림치는지 내가 두 손으로 잡고 있지 않았다면 그녀는 계단 아래로 굴러떨어질 뻔했다. 나는 그녀를 움켜잡은 손에 잔뜩 힘을 주었다. 그 바람에 우리는 큰소리를 내며 현관 덧문에 부딪쳤다.

택시 운전사가 나를 도와 여자를 부축하기 위해 다가왔다. 그때 현관문이 열렸다. 신디 콜드웰이 이 광경을 목격했다. 한 낯선 백인 남자가 자기가 아는 흑인 여자를 움켜잡고서 자신의 현관문 앞에 서 있었다. 신디 콜드웰은 당장에 행동에 돌입했다.

신디는 순간적으로 문을 반쯤 닫고 돌아서더니 12구경 권총을 들고 다시 나타났다. 권총은 그녀의 두 손에 아주 능숙하게 들려져 있었다. 그녀는 악다문 이빨 사이로 말했다.

"우리 엄마에게서 손 떼고 어서 내 현관에서 꺼져!"

나는 뿌연 유리를 통해 그녀를 보았다. 오해로 말미암아 거기서 죽음을 당하고 싶지는 않았다. 나는 말했다.

"만일 내가 손을 놓으면 이 부인은 현관 아래로 굴러떨어집니다."

택시 운전사가 그녀의 시야 속으로 들어왔다. 그러자 신디의 태도가 조금 누그러졌다. 그녀는 운전사에게 물었다.

"메이나드, 대체 무슨 일이에요?"

운전사가 말했다.

"나도 잘 모르겠어. 우리가 도착했을 때 이 백인 남자가 현관에 서 있었고, 네 엄마가 그에게 소리치면서 네 오빠 케네트에게 무슨 일이 일어난 거냐고 소리쳐 물었지."

그녀는 눈에 의문부호를 담고 나를 쳐다보았다. 내가 말했다.

"내 이름은 프레드 펄스이고, 만일 당신이 신디 콜드웰이라면 난 당신에게 할 말이 있습니다."

권총을 쥔 그녀의 손이 내려졌다. 그녀가 말했다.

"맞아요, 제가 신디 콜드웰이에요. 뭐가 뭔지 모르겠는데, 아무튼 들어오세요. 엄마를 좀 부축해 주시겠어요?"

부드럽게, 내가 할 수 있는 한 최대로 부드럽게, 나는 신디의 어머니를 부축해 현관을 지나 열려진 덧문 안으로 들어갔다. 택시 운전사가 우리를 따라 집 안으로 들어와 이층으로 올라가는 계단에다 길에 떨어뜨렸던 쇼핑 봉지를 내려놓았다. 그는 떠나야 할지 아니면 좀더 있어야 할지, 그리고 내가 누구며 내 생각 속에 무엇이 들어 있는지 알지 못해 의아한 표정으로 그곳에 서 있었다.

나는 신디의 어머니를 부축해 푹신한 의자에 앉혔다. 그리고 몇 걸음 물러나서 기다렸다. 견디기 힘든 침묵이 흘렀다. 내가 헛기침을 하고 말을 막 시작하려 할 때 신디도 입을 열었다.

내가 말했다.

"미안합니다. 먼저 말하시죠."

신디가 말했다.

"죄송해요. 제가 언제나 권총으로 손님을 맞이하는 건 아녜요. 하지만 문짝 부서지는 소리가 들려 긴장이 돼서 내다봤는데 당신이 엄마를 붙잡고 현관에 서 있는 게 보이길래 난 단지……."

내가 말을 가로막았다.

"아닙니다. 사과할 필요는 없습니다. 나도 같은 상황이라면 어떻게 행동했을지 모르니까요. 아무도 다치지 않았으니 다행이구요."

그녀가 물었다.

"커피 드시겠어요? 그리고 그 젖은 코트를 벗으시죠. 감기 걸리겠어요."

내가 말했다.

"고맙습니다. 커피도 마시고 싶고, 코트도 벗을 수 있으면 좋겠군요."

다행히 코트를 벗으면서 나는 마음을 가다듬을 수 있는 시간을 벌었다. 우리가 대화를 나누는 걸 보고 신디의 어머니와 택시운전사 메이너드는 안심이 된 듯했다. 나는 두 사람에 의해서 매우 주의깊게 관찰당하고 있었다.

나는 시험에 통과한 게 틀림없었다. 신디의 어머니가 손을 내밀며 말했기 때문이다.

"난 아이다 메이 클레먼스이고, 이 사람은 내 친구 메이너드예요. 자리에 편안히 앉아요."

그녀는 맞은편에 놓인 또다른 푹신한 의자를 가리키며 어서 앉으라고 고갯짓을 했다.

나는 그것이 마크 콜드웰의 의자임을 알았다. 난 지금 그의 의자에 앉아서 그의 가족에게 그의 죽음을 알리려 하고 있었다. 거의 의지를 상실하기 직전이었다. 의지를 되찾기 위해 난 안간힘을 썼다. 지금 나는 매우 얇은 살얼음 위를 걷고 있었다. 나는 깊은 숨을 들이쉰 다음 천천히 내쉬었다. 그리고 말했다.

"아이다 메이, 좀전에 놀라게 해드려서 죄송합니다. 하지만 전부인의 아드님 케네트를 모릅니다. 아드님이 어디에 있지요?"

그녀는 의자에서 몸을 꼿꼿이 세워 앉았다.

"내 아들 케네트는 해병대원이고 남부 베트남의 사이공에 있

는 미국 대사관에 배치되었다오. 2주일 후면 집으로 돌아오기로
되어 있지요."

내가 말했다.

"아드님이 무사히 집으로 돌아온다니 저도 기쁩니다. 대사관
근무는 할 만하지요. 안전하기도 하고. 아드님이 곧 집에 돌아온
다니 정말 기쁘시겠군요."

부인은 내 짧은 머리와 철 지난 옷들을 보더니 물었다.

"청년도 군복무중인가요? 역시 베트남에 있다가 왔나요?"

내가 말했다.

"네, 그렇습니다. 어제 막 돌아왔습니다. 아니면 그저께라고도
할 수 있구요. 시차가 13시간이나 돼서 그것이 어젠지 오늘인지
아니면 내일인지 약간 정신이 없습니다."

부인과 메이너드는 나를 바라보며 혀를 찼다.

내가 막 말을 끝냈을 때 신디가 쟁반에 커피와 쿠키와 크림,
설탕 등을 얹어 갖고 거실로 들어왔다. 커피 냄새가 굉장했다.
나는 어서 빨리 한 잔 마시고 싶었다. 분위기를 가볍게 해주고
내 손이 떨리는 걸 막아 줄 어떤 것이라도 좋았다. 우리는 좀더
이런저런 얘길 나누었다. 마침내 신디가 말했다.

"프레드, 당신을 만나 얘길 나누니 무척 즐겁군요. 그런데 무
엇이 당신을 이곳까지 오게 만들었는지 무척 궁금하군요."

바로 그 순간 현관문이 활짝 열리더니 두 명의 어린 소녀가 우
아한 걸음걸이로 걸어들어왔다. 두 소녀는 거실 쪽으로 두세 걸
음 걸어들어오더니 자신들의 새 옷을 자랑하기 위해 과장된 몸
짓으로 한 바퀴 돌아보였다. 그들을 따라 어떤 중년 부인이 갓난

아기를 안고 들어왔다.

내 존재와 내 임무는 잊혀졌다. 우리 모두는 소녀들과 그들이 입은 새 옷을 향해 "와!", "야!"하고 감탄사를 보내면서 저마다 예쁘다고 한 마디씩 했다. 그리고 그토록 아름다운 새 옷을 갖게 돼서 얼마나 행운인지 그들에게 말했다.

흥분이 가라앉자 소녀들은 공작놀이를 하러 주방의 식탁에 가서 자리를 잡았다. 신디가 돌아와서 말했다.

"프레드, 이쪽은 제 시어머니인 플로렌스 콜드웰이세요. 플로렌스, 이쪽은 프레드 에…… ."

내가 얼른 말했다.

"프레드 펄스입니다."

"프레드는 방금 우리에게 자신이 이곳에 온 이유를 설명하려던 참이었어요."

나는 깊이 숨을 들이키고 나서 주머니에 손을 넣으며 말했다.

"어떻게 이야기를 시작해야 할지 모르겠군요. 몇 주 전에 저는 북부 베트남의 P.O.W. 포로 수용소에서 탈출했습니다."

난 시선을 돌려 신디의 눈을 똑바로 바라보며 말했다.

"포로로 갇혀 있던 어느날 당신의 남편 마크가 거의 초주검이 된 상태에서 내 감방으로 끌려왔습니다. 그는 북부 베트남에서 작전 수행중에 총격을 당했고, 포로가 되어 내가 갇힌 포로 수용소로 온 겁니다. 나는 최선을 다했지만 그는 너무 심하게 부상을 입은 상태였고, 우리 둘 다 그가 곧 죽게 되리라는 걸 알았습니다."

신디가 손으로 입을 막았다. 시선은 내게 못박힌 채 목구멍 너

머에서 나즈막히 비명이 새어 나왔다. 아이다 메이와 플로렌스 둘 다 숨이 멎었으며, 메이너드는 낮게 소리쳤다.

"오, 하늘에 계신 하나님!"

"마크는 내게 약속을 하나 해줄 수 있느냐고 물었습니다. 내가 한 가지 약속만 해 주면 나를 포로 수용소에서 탈출할 수 있도록 도와 주겠다고 했습니다. 솔직히 말해서 난 그가 정신착란을 일으키고 있는 것이라고 생각했습니다. 하지만 난 그를 위로하기 위해서 그가 원하는 것은 무엇이든지 들어 주겠다고 약속했습니다."

이제 우리 모두는 눈물을 흘리고 있었고, 난 자신을 수습하기 위해 잠시 말을 중단해야만 했다. 나는 신디를 바라보았다. 그녀의 눈은 나를 향하고 있었지만 멀리 떨어진 어떤 곳을 바라보고 있음을 알았다. 그녀의 눈은 눈물 때문에 반사되고 손 안에선 울음이 쏟아져 나왔다. 자신을 가다듬고 나서 난 말을 이었다.

"마크는 말했습니다. '텍사스로 가서 내 아내 신디에게 말하겠다고 약속해 주게. 신디는 아직도 내 핀업 걸(벽에 핀으로 꽂아 놓는 인기 있는 미인 등의 사진)이고, 내가 죽으면서 그녀와 내 딸들을 생각했다고 전해 주게. 그것을 약속할 수 있겠나?'

난 말했습니다.

'그래, 마크. 약속하지. 꼭 텍사스로 가겠어.'

마크는 내게 이 사진과 함께 자신이 끼고 있던 결혼반지를 건네 주더군요. 내가 하는 말이 진실이라는 걸 당신들에게 믿게 하기 위해서죠."

나는 반지와 사진을 신디에게 건네 주면서 잠시 그녀의 손을 잡았다. 그리고 나서 몸을 숙여 내 코트의 안쪽 호주머니에서 칼 하나를 꺼냈다.

"마크는 자신이 숨기고 있던 이 비상용 칼을 내게 주었습니다. 내가 말했죠.

'고맙네, 마크. 어쨌든 약속하겠어. 텍사스로 가겠어.'

그런 뒤 난 물었습니다.

'다른 할말은 없나?'

그러자 마크가 말했습니다.

'있어. 날 좀 잡아 주겠나? 그냥 날 잡고 있어 줘. 난 혼자 죽고 싶지 않아.'

난 마크를 무릎에 껴안고 오랫동안, 아주 오랫동안 흔들어 주었습니다. 그동안 그는 계속 중얼거렸습니다.

'잘 있어, 신디. 당신을 사랑해. 딸아이들이 커가는 걸 함께 볼 수 없어서 미안해.'

그리고 얼마 후 그는 내 팔에 안겨 평화롭게 숨을 거두었습니다."

나는 신디에게 말했다.

"신디, 당신이 이것을 알아 주길 바랍니다. 난 당신의 이해가 필요합니다. 난 내가 할 수 있는 모든 걸 했습니다. 하지만 그는 너무 심한 부상을 입었어요. 난 어떻게 지혈을 해야 할지 몰랐습니다. 난 의료장비가 아무것도 없었어요. 난……"

나는 그만 완전히 무너져 버렸다.

우리 모두는 그렇게 한참을 울었다. 그러자 소녀들이 거실로 돌아왔다. 그들은 우리 모두가 왜 슬퍼하는지, 왜 울고 있는지 알고 싶어했다. 나는 신디를 바라보았다. 우린 둘 다 알았다. 내가 다시 이 과정을 거칠 수 없으리라는 걸. 그래서 신디는 딸들에게 내가 나쁜 소식을 가져왔지만 모든 것이 곧 좋아질 것이라고 말했다.

어린 딸들은 다소 안심이 됐는지 주방으로 돌아갔다. 하지만 이번에는 좀더 가까운 쪽에서 놀기 시작했다.

나는 마크의 용감한 행동이 어떤 결과를 가져왔는지 설명할 필요가 있었다. 그래서 다시 말을 시작했다.

"마크가 내게 준 그 칼은 경비병들을 물리칠 힘을 주었고, 나 말고도 수용소에 갇혀 있던 열두 명의 다른 미군들을 탈출하게 해주었습니다. 당신의 남편은 영웅이 됐습니다. 남편 덕분에 12명의 다른 미군들이 자유를 찾았고 난 지금 여기에 앉아 있게 된 겁니다. 그의 의자에 앉아서 이렇게 그의 죽음을 전할 수 있게 된 겁니다. 죄송합니다. 이런 소식을 당신에게 전해서 정말 뭐라고 죄송하다고 말해야 할지 모르겠습니다."

나는 또다시 울음이 터져 나왔다. 신디가 의자에서 일어나 내게 다가와 나를 달랬다. 그토록 큰 손실을 입은 그녀가 오히려 날 위로해 주고 있었다. 난 내 자신이 부끄럽기도 하고, 그녀로부터 존경받는 느낌도 들었다. 그녀는 손으로 내 얼굴을 받쳐 들고 나를 쳐다보며 말했다.

"영웅은 한 사람이 아니라 두 사람이에요. 내 남편 마크와 당신 프레드 두 사람. 당신 역시 영웅이에요. 고마워요. 이곳까지 와서 직접 소식을 전해 줘서 정말 감사드려요. 당신이 이곳에 와서 나를 만나고 나에게 내 남편이 죽었다고 말하는 것이 얼마나 힘들고 어려운 일인지 난 알아요. 당신은 정말 존경받을 만한 사람이에요. 당신은 약속을 했고, 그 약속을 지켰어요. 많은 남자가 그렇게 하지 않았을 거예요. 다시 한번 감사드려요."

나는 어리둥절해서 그곳에 앉아 있었다. 난 자신을 영웅이라고 느낄 수 없었다. 하지만 이 여성은 지금 자신에게 닥친 슬픔과 고통에도 불구하고 내가 영웅이라고, 존경스런 남자라고 말하고 있었다. 내가 느낄 수 있었던 것은 모두 죄책감과 분노뿐이었다. 난 살아남았고 그녀의 남편이자 두 아이의 아버지인 마크는 죽었다는 사실에 대한 죄책감이었다. 그리고 어리석고 무의미한 전쟁에 대한 강렬한 분노였다. 그 엄청난 손실, 그 상처! 난 내 조국도, 내 자신도 용서할 수 없었다. 그런데 여기 엄청난 손실을 당한, 남편을 잃은 한 여성이 나를 용서하고 내게 감사해하고 있었다. 난 그 말을 곧이 들을 수가 없었다.

나는 또 정부를 향해서도 엄청난 분노를 느꼈다. 왜 그들은 이 여성에게 와서 그녀의 남편에 대해 말해 주지 않는가? 마크 콜드웰의 시신은 어디 있는가? 왜 시신이 이곳에 없는가? 왜 그는 정당한 장례 절차와 조문객을 맞이할 수 없단 말인가? 왜? 도대체 왜?

잠시 후 내가 말했다.

"내가 마크의 시신을 남부 베트남으로 옮겼습니다. 마크의 장례식에 대해 곧 해군에서 당신에게 연락이 올 겁니다. 그때 내가 이곳에 오지 못하더라도 용서하십시오. 하지만 내가 당신들에 대해 생각하고 있다는 것을 부디 알아 주십시오. 난 당신들을 언제나 기억할 겁니다."

우리는 잠시 그대로 앉아 있었다. 그런 다음 나는 메이너드에게 나를 버스 정류장까지 태워다 달라고 부탁했다. 달라스 행 버스를 탈 수 있도록. 난 떠나야만 했다. 그리고 몹시 취하고 싶었다. 아주 오래오래 취해 있고 싶었다.

프레데릭 E. 펄스 3세

머피 부인을 추억하며

    고속도로에서의 속도 경쟁과 난폭운전에 지친 남편과 나는 지난 여름 해변에 놀러갈 때 남들이 잘 이용하지 않는 길을 선택하기로 마음을 먹었다.

    매릴랜드 동부 해안으로 가는 도중에 위치한 특징 없는 한 작은 도시에서 잠시 차가 멈춰섰을 때 한 사건이 일어나 우리의 기억 속에 영원히 남게 되었다.

    그것은 처음에는 단순하게 시작되었다. 네거리에서 신호등이 빨간색으로 바뀌었다. 신호가 바뀌기를 기다리면서 차가 멈춰서 있는 동안 나는 길가에 있는 낡은 벽돌 건물의 노인 요양소가 눈에 들어왔다.

    요양소 현관에는 나무줄기를 엮어 만든 흰색 의자에 노부인 한 분이 앉아 있었다. 그녀의 시선이 나를 향해 있었다. 마치 나를 부르는 듯한, 나더러 자기에게 오라고 부탁하는 듯한 거의 그런 시선이었다.

    신호등이 파란색으로 바뀌었다. 나는 남편에게 불쑥 소리쳤다.

"짐, 잠깐만 차를 저 옆에다 세워요!"

차에서 내린 나는 짐의 손을 잡고 그 노인 요양소를 향해 걸어 갔다. 짐이 멈춰섰다.

"잠깐만 기다려. 우린 여기에 아는 사람이 아무도 없잖아."

난 부드럽게 남편을 잡아끌면서 결코 헛된 발걸음이 되지 않 을 거라고 남편을 확신시켰다.

자석 같은 시선으로 날 끌어당겼던 노부인은 의자에서 일어나 지팡이에 의지한 채 우리를 향해 천천히 걸어왔다.

노부인은 감사의 미소를 지었다.

"들러 줘서 정말 기뻐요. 당신들이 그렇게 해 주기를 기도했지 요. 여기 잠깐 앉아서 나하고 얘길 좀 나눠 주겠어요?"

우리는 그녀를 따라 현관 안쪽의 그늘진 곳으로 가서 앉았다.

나는 우리를 초대한 그 노부인의 아름다움에 깊은 인상을 받 았다. 몸이 날씬하면서도 마른 편은 아니었다. 담갈색 눈가의 주 름살을 제외하고는 아이보리색 얼굴은 주름살 없이 매끈했고 거 의 반투명에 가까웠다. 비단결 같은 은색 머리카락은 뒤로 빗겨 져 단정하게 묶여 있었다.

노부인이 말을 시작했다.

"많은 사람들이 이곳을 지나가지요. 특히 여름철에는요. 그들 은 차 유리창을 통해 흘끗 내다보지만 그저 늙은이들이 사는 낡 은 건물밖에 아무것도 볼 게 없다고 생각하지요. 하지만 당신들 은 나 마가렛 머피를 보았어요. 그리고 잠시 시간을 내 들러 주 었어요."

사려깊게 마가렛은 말했다.

"어떤 사람들은 노인이란 그저 나이 많고 노쇠한 사람들이라고 생각하지요. 하지만 사실은 그렇지 않답니다. 우리는 단지 외로울 뿐이지요."

그런 다음 그녀는 자조 섞인 어조로 말했다.

"하지만 우리 늙은이들은 쓸데없이 수다를 떨지요. 안 그런가요?"

그녀가 입고 있는 꽃무늬 무명 드레스의 레이스 달린 목깃에는 다이아몬드가 둘레에 박힌 타원형 카메오(조가비나 차돌 따위에 한 돋을새김) 브로우치가 꽂혀 있었다. 마가렛은 그것을 손으로 만지작거리며 우리의 이름을 묻고 어디서 오는 길이냐고 물었다. 내가 '볼티모어'라고 대답하자 그녀의 얼굴이 대번에 환해지면서 눈이 빛났다. 그녀는 말했다.

"내 여동생이 평생을 볼티모어의 고루쉬 애비뉴에서 살았다우."

나도 흥분해서 말했다.

"저도 어렸을 때 거기서 몇 블록밖에 안 떨어진 홈스테드 스트릿에서 살았어요. 동생분 성함이 어떻게 되시죠?"

당장에 나는 마리 기본스라는 이름을 기억해 냈다. 그녀는 내 클라스메이트였고 나와는 둘도 없는 친구였다. 한 시간이 넘도록 마가렛과 나는 서로 젊은 시절에 대한 추억을 나누었다.

우리가 즐겁게 대화를 나누고 있을 때 간호사가 물컵과 두 개의 작은 핑크색 알약을 들고 나타났다. 간호사는 쾌활한 목소리로 말했다.

"방해해서 죄송합니다. 이제 약 드시고 오후 낮잠을 주무실 시간이에요, 미스 마가렛. 우린 똑딱거리는 시계에 늘 시선을 주고 있어야만 하거든요."

. 그녀는 미소를 지으면서 마가렛에게 약을 건넸다. 짐과 나는 눈짓을 주고받았다.

별 저항 없이 마가렛은 알약을 삼켰다. 그리고 나서 간호사에게 물었다.

"내 친구들과 몇 분만 더 함께 있으면 안 될까요, 박스터 양?"

간호사는 친절하게, 하지만 단호하게 그 부탁을 거절했다.

간호사가 손을 뻗어 마가렛이 의자에서 일어나는 걸 도왔다. 우리는 노부인에게 다음 주 우리가 해변에서 돌아올 때 꼭 들르겠다고 다짐했다. 그러자 그녀의 불행했던 표정이 한 순간에 기쁨으로 변했다. 마가렛은 말했다.

"그렇게 해준다면 정말 기쁜 일이지요."

태양 아래서 일주일을 보낸 뒤 짐과 내가 집으로 돌아오던 날은 구름이 끼고 축축했다. 그래선지 노인 요양소 건물이 특별히 더 황량해 보였다.

몇 분을 기다린 뒤 간호사 박스터 양이 나타났다. 그녀는 편지가 동봉된 작은 상자 하나를 우리에게 내밀었다. 짐이 그 편지를 읽는 동안 간호사는 내 손을 꼭 붙잡았다.

　다정한 친구들에게,
　지난 며칠은 내 사랑하는 남편 헨리가 두 해 전 세상을 떠난 이후로 가장 행복한 날들이었지요. 다시 한번 나는 내가 사랑하고 나를 걱정해 주는 한 가족을 갖게 된 겁니다.

어젯밤 의사는 내 심장병에 대해 걱정하는 눈치였습니다. 하지만 난 기분이 좋아요. 그리고 내가 이 행복한 분위기 속에 있을 때 당신들에게 당신들이 내 삶 속에 가져다 준 그 기쁨에 대해 감사드리고 싶어요.

사랑하는 비벌리, 당신에게 주는 이 선물은 우리가 만난 날 내가 하고 있던 브로치입니다. 1939년 6월 30일 우리의 결혼식날 내 남편이 내게 준 거랍니다. 그것은 남편의 어머니가 하시던 것이었지요. 당신이 이것을 즐거운 마음으로 옷에 하고 다니고, 또 어느날엔가 당신의 딸들과 그들의 자식들에게 그것이 물려지기를 바래요. 이 브로치와 함께 내 사랑도 영원히 이어질 겁니다.

마가렛으로부터

우리가 처음 방문하고 난 사흘 뒤 마가렛은 잠을 자던 중에 평화롭게 숨을 거두었다. 브로치를 손에 들고 있는데 눈물이 뺨을 타고 턱까지 흘러내렸다. 나는 조심스럽게 그것을 돌려 브로치 뒷면의 순은으로 된 가장자리에 새겨진 문장을 읽었다. 그곳에는 이렇게 적혀 있었다.

'사랑은 영원한 것.'

우리의 기억도 마찬가지예요, 마가렛. 당신에 대한 우리의 기억도 영원할 거예요.

비벌리 화인

그곳엔 아직 어린 소녀가 살고 있지

다음의 시는 스코틀랜드의 둔디 근처에 있는 아슈루디 병원의 노인 병동에서 숨을 거둔 한 할머니가 쓴 것이다. 그녀의 소지품을 정리하다가 이 시를 발견했으며, 그것을 읽고 감명을 받은 병원 직원들에 의해서 병원 전체와 병원 밖으로까지 그것이 돌려져 읽혀졌다.

*

당신은 무엇을 보는가요?
간호사, 당신은 무엇을 보는가요?
당신은 나를 볼 때마다
까다로운 한 늙은이, 현명하지도 못하고
시선은 먼 곳에다 박은 채 변덕스런 성격을 가진
한 늙은이라고 생각하겠지요?
음식이나 질질 흘리고
"다시 한번 해봐요!" 하고 당신이 소리쳐도
아무 반응이 없는,

당신이 요구하는 일을 거들떠보지도 않고
끝없이 스타킹과 신발을 잊어버리는
그런 늙은이라고 생각하겠지요?
그것이 당신이 생각하는 것인가요?
당신 눈에 보이는 게 그것인가요?
그렇다면 간호사, 눈을 뜨고 날 바라봐요.
내가 이곳에 꼼짝 않고 앉아 있을 때
내 안에 누가 있는가를 당신에게 말해 줄 테니.
당신의 명령에 따라 움직이고
당신의 의지에 따라 음식물을 받아먹을 때······ .
내 안에는 아직 열살 먹은 어린아이가 숨쉬고 있다오.
어머니와 아버지가 있고,
서로를 사랑하는 형제 자매가 있는.
내 안에는 또 머지 않아 사랑하는 사람을 만날 것을 꿈꾸는
두 발에 날개를 매단 열일곱살의 소녀가 있다오.
그리고 심장이 약동하는 스물한살의 신부도 그곳에 있지요.
자신이 지키기로 약속한 맹세들을 기억하는.
스물여섯살에 나는 내 자신의 자식들을 가졌고,
그 아이들에게 안정되고 행복한 가정을 만들어 주고자 노력
했다오.
서른살 때, 내 아이들은 빨리 자라고
오랫동안 지속될 그런 끈으로 함께 연결되어 있었지요.
마흔살에 내 젊은 아들들은 성장해서 떠났고,
하지만 난 남편이 곁에 있기에 울지 않았다오.

쉰살이 됐을 때 또다시 갓난아이들이 내 무릎 위에서 놀고
있군요.
또다시 우리는 사랑하는 이들을 갖게 되었지요.
하지만 곧이어 어두운 날들이 내게 닥쳤다오.
내 남편이 세상을 떠났지요.
내 자식들은 그들의 자식들을 키우고 있고
나는 그 모든 세월들과 내가 알았던 사랑하는 이들을 생각
한다오.
난 이제 한 사람의 늙은이. 자연은 그토록 잔인하지요.
나를 늙게 하고 바보처럼 만들어 버린 건 자연의 짓궂은 농
담이지요.
육신은 서서히 무너지고 우아함과 활기는 떠나갔다오.
한때 심장을 갖고 있던 자리에 이젠 돌덩이를 갖고 있지요.
하지만 이 늙은 몸뚱이 속에는 아직도 어린 소녀가 살고 있
답니다.
그리고 지금 또다시 내 약해진 심장이 뛰기 시작하고 있답
니다.
난 기쁨들을 기억하고, 고통들을 기억하지요.
그 기억들 속에서 난 또다시 사랑하고 있고 또다시 삶을 살
고 있다오.
난 그 세월들을 생각하지요. 너무도 짧고 너무도 빨리 지나
간 날들.
그리고 아무것도 영원할 수 없다는 그 냉혹한 사실을 받아
들이지요.

그러니 간호사, 당신의 눈을 열고 나를 봐요.
까다로운 늙은 여자라고 여길 게 아니라
좀더 가까이 다가와서 나를 봐요!

(옮긴이 주─영어로 쓰여진 이 시는 정확히 각운과 운율을 맞추고 있다.)

작자 미상
로널드 달스턴 제공

마지막 작별 인사

"난 덴마크의 고향집엘 가는 중이다, 얘야. 그냥 너한테 사랑한다는 말을 하려고 전활 했어."

나한테 건 마지막 전화에서 아버지는 반 시간 동안 이 말을 일곱 번이나 되풀이했다. 난 제대로 듣고 있지도 않았다. 그 얘기를 듣고는 있었지만 그 말뜻을 파악하지 못했다. 그리고 그 속에 담긴 깊은 의미까지도. 난 아버지가 1백살은 넘게 사실 것이라고 믿었다. 큰삼촌께서도 107세까지 사셨으니까. 난 엄마가 돌아가신 것에 대해 아버지가 느끼는 깊은 슬픔과 후회에 대해 알지 못했으며, 당신의 강렬한 고독감을 '빈 둥지에 홀로 남겨진 새'로서 느끼는 고독감으로만 이해했다. 아니면 친구분들이 다들 오래 전에 이 지구별을 떠난 것에서 오는 외로움이라고만 여겼다. 아버지는 나와 내 형제들에게 어서 자식을 낳으라고 성화셨다. 당신께서 헌신적인 할아버지 역할을 하기 위해서였다. 난 사업에 바빠서 그 말을 진정으로 귀담아 들을 여가가 없었다.

"아버지가 돌아가셨어."

1973년 7월 4일 내 동생 브라이언이 한숨을 내쉬며 말했다. 동생은 재치 넘치는 변호사였으며 유머 감각이 있고 머리가 빨리 돌아갔다. 난 동생이 내게 농담을 하려고 서두를 그런 식으로 꺼내는 걸로 생각하고 다음 말을 기대했다. 그러나 그렇지 않았다. 브라이언이 말을 이었다.

"아버지는 로즈켈쯔의 고향집에서, 당신께서 태어나신 침대 위에서 돌아가셨어. 장례식 담당자가 시신을 관에 넣어서 소지품과 함께 배편으로 부쳤대. 내일 우리한테 도착하기로 되어 있어. 우린 장례식을 준비해야 해."

난 말을 잃었다. 이것은 내가 예상하고 있던 일이 아니었다. 그것이 아버지의 마지막 날들이라는 걸 알았다면 난 모든 걸 제쳐두고 아버지와 함께 덴마크로 갔을 것이다. 나는 호스피스 운동(죽음에 이른 말기 환자를 돌보자는 운동)에 공감해 온 터였다. 거기선 이렇게 주장한다.

"어떤 사람도 홀로 죽어선 안 된다."

누군가 한 차원에서 또 다른 차원의 세계로 들어갈 때는 사랑하는 사람이 그의 손을 잡고 그를 위로해야만 한다. 아버지가 전화로 하신 말씀을 귀담아 들었다면 난 아버지의 마지막 시간을 위로하면서 보냈을 것이다. 아버지는 최선을 다해 자신의 떠남을 알렸고, 난 그것을 알아듣지 못했다. 슬픔과 고통과 후회가 밀려왔다. 왜 난 그곳에 아버지를 위해 있지 못했을까? 아버지는 항상 나를 위해 그곳에 계셔 주었는데.

내가 아홉살 때 아버지는 날마다 빵집에서 18시간의 일을 마치고 집으로 돌아와서는 새벽 다섯시에 그 강하고 힘센 손으로 내 등을 긁어 주면서 "일어날 시간이다, 아들아." 하고 속삭이곤 하셨다. 내가 옷을 입고 밖으로 나갈 준비가 되면 아버지는 내가 배달할 신문들을 접어 자전거 바구니 안에 채워 놓으셨다. 아버지의 너그러운 영혼을 회상할 때면 내 눈은 언제나 눈물로 얼룩진다.

내가 자전거 경주대회에 출전했을 때는 매주 화요일 밤마다 위스콘신 주의 케노샤로 가는 왕복 50마일 길을 함께 달려 주셨다. 내가 잘 달릴 수 있도록 격려하고 또 나를 지켜보기 위해서였다. 내가 패배했을 때는 나를 붙들어 주기 위해 내 곁에 계셨고, 내가 승리했을 때는 행복감을 나누기 위해 내 곁에 계셨다.

훗날 아버지는 내가 시카고의 21세기, 메리 케이, 에퀴터블 등 여러 교회에서 강연을 할 때 언제나 나와 함께 그곳에 계셔 주었다. 아버지는 늘 미소 지은 얼굴로 내 강연을 경청하시고, 옆에 앉은 사람에게 "저 애가 내 아들이라오!" 하고 자랑스럽게 말하곤 하셨다.

그 사실 때문에 내 가슴은 고통으로 가득 찼다. 아버지는 항상 나를 위해 그곳에 계셨는데, 난 아버지를 위해 그곳에 있지 않았다. 내가 감히 당신들에게 드리는 충고는 이것이다. 언제나, 언제나 당신의 사랑을 사랑하는 이와 나누라는 것이다. 그리고 육체적인 삶이 영적인 삶으로 옮겨가는 그 성스러운 전환기에는 곁에 함께 있어 주라는 것이다. 당신이 사랑하는 이와 함께 죽음의 과정을 체험하는 것은 당신을 더 크고 더 넓은 차원의 존재로 데려갈 것이다.

마크 빅터 한센

당신이 곧 세상을 떠나게 된다면

당신이 곧 죽게 되어 있고 단 한 번의 전화를 할 수 있도록 허락받았다면 당신은 누구에게 전화를 걸어 뭐라고 말할 것인가? 그런데 당신은 지금 왜 그것을 미루고 있는가?

스티븐 레바인

내가 캘리포니아의 팔로 알토 지역에서 교육감으로 일하고 있을 때 관 내에 있는 한 학교의 교장인 폴리 타이너가 팔로 알토 타임지에 편지 한 통을 투고했다. 폴리의 아들 짐은 학교 수업에 큰 문제가 있었다. 짐은 정상적인 교육을 받을 수 없는 지적 장애자로 분류되었고, 부모나 교사들에게 많은 인내심을 요구했다. 하지만 짐은 언제나 교실을 명랑한 분위기로 만들어 주는 낙천적인 아이였다. 부모는 짐이 다른 아이들보다 지능이 떨어진다는 사실을 알고 있었지만 짐이 자신감을 갖고 살아갈 수 있도록 언제나 그가 가진 장점들을 일깨워 주었다. 고등학교를 졸업한 뒤 짐은 오토바이 사고로 세상을 떠났다. 그의 죽음 직후 그의 어머니가 이 편지를 신문에 기고했다.

　오늘 우리는 스무살된 아들을 묻고 왔습니다. 그 애는 금요일 밤에 오토바이 사고로 현장에서 목숨을 잃었습니다. 내가 마지막으로 그 애를 보았을 때 그것이 마지막이라는 걸 알았다면! 그것을 알았더라면 난 이렇게 말했을 겁니다.
　"짐, 난 널 사랑한다. 그리고 네가 자랑스러워."
　난 시간을 갖고 그 애가 주위의 많은 사람들의 삶 속에 가져다 준 즐거움들을 얘기했을 겁니다. 그 애의 아름다운 미소, 그 애의 웃음소리, 사람들에 대한 그 애의 남다른 애정에 대해 말했을 겁니다.
　그애가 가진 모든 장점을 한쪽 저울에 달고, 항상 라디오를 크게 틀어놓는다거나 머리 모양이 이상하다거나 더러운 양말을 신고 침대 속에 들어간다든가 하는 마음에 들지 않는 요소들을 다른쪽 저울에 달아 무게를 잰다면 장점 쪽이 훨씬 많을 겁니다.
　난 내 아들에게 하고 싶었던 말들을 다시는 할 기회가 사라졌습니다. 하지만 당신들 다른 부모들은 기회가 있습니다. 당신의 자식에게 당신이 하고 싶은 말을 미루지 말고 지금 당장 하십시오. 그것이 마지막 대화가 될지도 모릅니다. 내가 짐을 마지막으로 본 그날 그 애는 죽었습니다. 그 애는 나를 부르더니 말했습니다.
　"엄마! 사랑한다고 말하려고 그냥 불러봤어요. 일하러 갔다 올께요. 안녕, 엄마."

그 애는 내게 영원히 간직할 어떤 선물을 준 것입니다.

짐의 죽음에 어떤 목적이 있다면 아마도 그것은 우리 모두가 자신의 삶을 더 열심히 살고, 특히 가족들 서로가 미루지 말고 애정을 표시하도록 일깨우기 위한 것이라고 나는 생각합니다.

당신도 기회를 놓쳐 버릴 수 있습니다. 오늘 그렇게 하십시오!

로버트 리즈너

진정한 위로

심장마비로 쓰러진 뒤 형은 병원의 심장병 전문 병동에서 의식 불명인 상태로 누워 있었다. 튜브와 전선들이 형의 생명을 연장하기 위해 형을 기계에 연결시키고 있었다. 모니터 화면에서는 불규칙한 심장 박동이 물결선을 그리고 있었다. 병실에서 나는 유일한 소리라곤 형의 폐에 산소를 공급하는 펌프가 내는 '후쉬—' 하는 리드미컬한 소리뿐이었다.

목사로서 나는 비슷한 상황에 처한 가족들을 종종 만나왔다. 나는 그때마다 그들을 위로할 수 있는 적절한 말들, 완벽한 성서 귀절들, 희망을 주는 문장들을 들려 주곤 했다. 하지만 이것은 새로운 경험이었다.

이 힘든 기간 동안 형수님과 나는 희망과 포기 사이를 오락가락했다. 우리는 모든 방문객들에게 감사했다. 그들이 들려 주는 의식 불명의 잠에서 깨어나 정상으로 돌아온 사람들의 이야기를 감사한 마음으로 들었다. 또한 슬픔의 시기에 어떻게 마음을 먹어야 하는가에 대해 그들이 들려 주는 사려깊은 말들을 귀담아

들었다. 그들이 우리를 염려해 주고 있음을 우리는 알았다. 하지만 많은 방문객들은 말하면서 문을 들어와 말하면서 문을 나갔다. 나 역시 다른 사람이 같은 처지에 놓였을 때 그들에게 뭔가 말을 해줘야 한다고 생각하고 항상 그렇게 행동한 것이 아닐까?

그러던 어느날 형의 친구 한 사람이 찾아왔다. 그는 우리와 함께 침대 옆에 서서 형을 바라보며 오랫동안 서 있었다. 긴 침묵이 이어졌다. 갑자기 감정을 수습하고 그가 말했다.

"아, 정말 안 됐습니다."

그러다가 다시 오랜 침묵이 이어졌다. 마침내 그는 형수를 껴안더니 돌아서서 나와 악수를 했다. 그는 필요한 것보다 몇 초 정도 더 내 손을 잡고 있었고 평소보다 더 손에 힘을 주었다. 그가 나를 바라보는데 눈물이 그의 눈을 적시고 있었다. 그리고 나서 그는 떠났다. 일주일 뒤 형은 숨을 거두었다.

여러 해가 흘렀지만 난 아직도 그 방문객을 기억한다. 그의 이름은 잊었지만 그가 어떻게 우리의 슬픔을 나누었는가를 결코 잊지 않는다. 조용히, 진심으로, 꾸밈없이. 그는 단 몇 마디밖에 말하지 않았지만 그것은 한 권의 책만큼 가치 있는 것이었다.

로버트 J. 맥뮬런 2세
데이브 포터 제공

가슴에 난 상처를 치료하는 법

나는 단지 한 사람의 인간에 불과하다. 그렇더라도 나는 어디까지나 인간이다. 나는 모든 것을 다 할 수는 없다. 그렇더라도 나는 어떤 것은 할 수 있다. 그리고 모든 것을 다 할 수 없다고 해서 내가 할 수 있는 어떤 것까지 포기하지는 않을 것이다.

에드워드 에버렛 해일

남편 하녹과 나는 〈친절한 행동—친절 혁명을 일으키는 법〉이라는 책을 썼다. 책은 미국 전역에서 큰 관심을 불러일으켰다. 다음 이야기는 우리가 시카고에서 라디오 토크쇼에 출연했을 때 익명의 청취자가 들려 준 것이다.

수지가 물었다.

"엄마, 지금 뭐해?"

엄마가 말했다.

"이웃집에 사는 스미스 부인에게 갖다 주려고 볶음밥을 만드는 중이다."

이제 여섯살밖에 안 된 수지가 물었다.

"왜?"

"왜냐하면 스미스 부인이 매우 슬프기 때문이란다. 얼마 전에 딸을 잃어서 가슴에 상처를 입었거든. 그래서 우리가 한동안 돌봐 드려야만 해."

"왜, 엄마?"

"수지야, 누군가 아주 아주 슬플 때는 음식을 만든다거나 집안 청소 같은 작은 일들을 하기가 어려워진단다. 우리 모두는 함께 살아가고 있고 또 스미스 부인은 우리의 이웃이기 때문에 어렵고 힘들 때는 우리가 도와 드려야지. 스미스 부인은 다시는 딸과 얘기할 수도 없고 딸을 껴안을 수도 없고 엄마와 딸들이 함께 할 수 있는 모든 신나는 일들을 아무것도 할 수가 없단다. 넌 매우 똑똑한 아이야, 수지. 그러니 너도 스미스 부인에게 도움이 되어 줄 좋은 방법을 생각해 낼 수 있을 거야."

수지는 이 새로운 문제에 대해 심각하게 생각했다. 어떻게 하면 스미스 부인을 돕는 일에 자신도 참여할 수 있을까 깊이 생각했다. 몇 분 뒤 수지는 스미스 부인의 집으로 가서 문을 두드렸다. 한참 지나서 스미스 부인이 문을 열고 나왔다.

"안녕, 수지."

수지는 스미스 부인이 다른 때와 같이 귀에 익은 음악 같은 목소리로 인사하지 않는다는 걸 알았다. 스미스 부인은 또 울고 있었던 듯했다. 눈이 부어 있고 물기에 젖어 축축했다.

스미스 부인이 물었다.

"무슨 일이니, 수지야?"

수지가 말했다.

"엄마가 그러시는데 아줌마가 딸을 잃어서 가슴에 상처가 났고, 그래서 아주 아주 슬프시대요."

수지는 부끄러워하면서 손을 내밀었다. 손에는 일회용 반창고가 들려져 있었다.

"가슴에 난 상처에 이걸 붙이세요. 그러면 금방 나을 거예요."

스미스 부인은 갑자기 목이 메고 눈물이 왈칵 쏟아졌다. 그녀는 무릎을 꿇고 앉아 수지를 껴안았다. 그리고 눈물을 글썽이면서 말했다.

"고맙다, 수지야. 이 반창고가 내 상처를 금방 낫게 해 줄 거야."

스미스 부인은 수지의 친절한 행동을 받아들였을 뿐 아니라 한 걸음 더 나아갔다. 그녀는 상점에 가서 둥근 유리 안에 작은 사진을 넣을 수 있도록 된 열쇠고리 하나를 사 왔다. 열쇠를 갖고 다니면서 동시에 가족 사진을 넣고 다닐 수 있도록 고안된 고리였다. 스미스 부인은 수지가 준 일회용 밴드를 그 유리 안에 넣었다. 그것을 볼 때마다 자신의 상처가 조금씩 치료될 수 있도록 하기 위해서였다. 그녀는 마음의 치료에는 시간과 주위의 도움이 필요하다는 것을 알았다. 그 열쇠고리는 그녀에게 치료의 상징이 되었고, 그녀가 딸과 함께 나눈 기쁨과 사랑을 언제나 기억하도록 도와 주었다.

멜라디 맥카시

아침에 만나요

지혜가 많으신 엄마 덕분에 난 죽음에 대해 아무런 두려움도 갖고 있지 않았다. 엄마는 내 가장 가까운 친구였고, 가장 훌륭한 선생님이셨다. 나와 헤어질 때마다 엄마는 밤에 잠자리에 들 때 하는 인사든 아니면 밖에 외출할 때 하는 인사든 늘 이렇게 말씀하셨다.

"아침에 만나자."

엄마는 그 약속을 한번도 어기지 않으셨다.

나의 할아버지는 목사이셨다. 그래서 신도들 중 누군가 세상을 떠나면 관 속에 넣어지고 꽃으로 장식된 시신이 목사 사택에 안치되곤 했다. 엄마는 그때 무척 어렸었다. 아홉살 먹은 여자아이에게 그것은 더없이 무서운 경험이었다.

하루는 할아버지가 엄마를 데리고 사택 안으로 들어갔다. 사택 안에는 다른 때와 마찬가지로 최근에 죽은 허드슨 씨의 관이 놓여 있었다. 할아버지는 엄마를 벽 쪽으로 데려가 벽에 손을 대고 감촉을 느껴 보라고 말했다.

그런 다음 할아버지는 물으셨다.

"어떤 감촉이니, 바비?"

엄마가 대답했다.

"음, 딱딱하고 차가워요."

할아버지는 이번에는 엄마를 데리고 시신이 놓여 있는 관으로 데리고 가서 말했다.

"바비야, 난 지금 너에게 세상에서 가장 어려운 일을 시킬 것이다. 하지만 네가 두려움을 무릅쓰고 그 일을 할 수만 있다면 넌 다시는 죽음을 두려워하지 않게 될 거다. 자, 손을 들어 여기 관 속에 누워 있는 허드슨 씨의 얼굴을 한번 만져 보거라."

엄마는 할아버지를 세상에서 가장 사랑하고 신뢰했기 때문에 할아버지의 지시대로 할 수 있었다.

할아버지가 물으셨다.

"자, 어떠냐? 무슨 느낌이지?"

엄마가 대답했다.

"벽을 만질 때와 똑같은 느낌이에요, 아버지."

할아버지가 말씀하셨다.

"맞다. 이 시신은 허드슨 씨가 살던 옛 집과 같은 것이지. 지금 우리의 친구 허드슨 씨는 그 집을 떠나 다른 곳으로 이사를 갔단다. 바비야, 누군가 살다가 떠난 집을 두려워할 이유란 아무 것도 없단다."

이 교훈은 깊이 뿌리를 내렸고 엄마의 전생애에 걸쳐 더욱 풍성해졌다. 엄마는 죽음을 전혀 두려워하지 않으셨다. 우리를 떠나기 8시간 전 엄마는 무척 예외적인 부탁을 했다. 우리가 눈물을 참으면서 임종의 자리에 둘러서 있는 동안 엄마가 말씀하셨다.

"내 무덤에는 어떤 꽃도 가져오지 말아라. 왜냐하면 난 그곳에 없을 테니까. 이 육체를 떠나면 난 곧장 유럽으로 날아갈 거다. 너희 아버지는 날 한번도 유럽에 데려가질 않으셨어."

병실에선 웃음이 터져나왔고, 그날 밤 우리는 더 이상 눈물을 흘리지 않았다.

우리가 키스를 하고 굿나잇 인사를 할 때 어머니는 미소를 지으면서 말씀하셨다.

"아침에 만나자."

그러나 이튿날 아침 6시 15분에 나는 의사로부터 전화를 받았다. 엄마가 이미 유럽으로 날아가셨다는 것이었다.

이틀 뒤 우리는 부모님이 사시던 아파트에 들러 엄마의 물건들을 정리하다가 엄마가 쓰신 매우 많은 분량의 글들을 발견했다. 그 글들이 담긴 봉투를 여는 순간 종이 한 장이 바닥에 떨어졌다.

그것은 한 편의 시였다. 난 이 시를 엄마가 쓴 것인지 아니면 다른 누군가의 작품인데 엄마가 애송하던 것인지 알지 못한다. 다만 내가 아는 유일한 것은 바닥에 떨어진 종이가 이 한 장뿐이었다는 사실이다. 여기에 그 시를 적는다.

유 산

내가 죽었을 때 내가 남긴 것들을 네 아이들에게 주라.

울어야만 하거든 네 곁에 걷고 있는 형제들을 위해서 울
라.
　　너의 두 팔을 들어 누구든지 껴안고
　　내게 주고 싶은 것들을 그들에게 주라.
　　난 너에게 무엇인가 남기고 싶다.
　　말이나 소리보다 더 값진 어떤 것을.
　　내가 알았던, 그리고 내가 사랑했던 사람들 속에서
　　나를 찾아라.
　　네가 만일 나 없이는 살 수 없거든
　　나로 하여금 너의 눈, 너의 마음, 너의 친절한 행동 속에
서 살게 하라.
　　너의 손으로 다른 손들을 잡고
　　자유로울 필요가 있는 아이들에게 자유를 줄 때
　　너는 나를 가장 사랑할 수 있다.
　　사랑은 죽지 않지. 사람들도 그렇고.
　　따라서 내가 너에게 남기는 것은 오직 사랑뿐⋯⋯ .
　　내 사랑을 모두에게 주어라⋯⋯ .

　시를 읽으면서 아버지와 나는 미소를 머금었다. 엄마의 존재
가 바로 곁에서 느껴졌다. 그리고 다시 한번 아침이었다.

존 웨인 쉴레터

사랑은 떠나지 않아

　나는 삼남이녀의 매우 평범한 가정에서 성장했다. 그 시절 우리는 재산이 풍족하진 않았지만 어머니와 아버지는 주말마다 우리를 데리고 동물원으로 소풍을 나가셨다.

　어머니는 사랑과 보살핌이 지극한 분이셨다. 언제나 누군가를 도와 줄 자세가 되어 있으셨고, 집을 잃었거나 부상당한 동물들을 종종 집으로 데려오곤 하셨다. 다섯 명의 자식들을 돌봐야 함에도 불구하고 어머니는 언제나 시간을 내 다른 사람들을 보살폈다.

　내 어린시절을 돌아보면 내게는 우리 부모가 다섯 명의 자녀를 둔 남편과 아내가 아니라 사랑에 빠진 이제 막 결혼한 신혼부부처럼 여겨진다. 낮에는 우리들 자식들과 함께 보냈지만 밤에는 두 분만의 시간이었다.

　어느날 밤 내가 잠자리에 누워 있을 때가 생각난다. 1973년 5월 27일 일요일이었다. 나는 부모님이 친구분들과 함께 외출했다가 밤 늦게 집으로 돌아오시는 소리에 잠이 깨었다. 두 분은 이층 침실로 향하면서 서로 웃고 즐겁게 얘기를 주고받으셨다. 나는 돌아누워 다시 잠이 들었다. 하지만 그날 밤 나는 악몽에 시달리느라 제대로 잠을 이룰 수 없었다.

1973년 5월 28일 월요일 아침, 나는 잠에서 깨어났다. 구름이 낮게 드리워진 날이었다. 어머니는 아직도 잠을 주무시고 계셨다. 그래서 우리 모두는 각자 아침을 챙겨 먹고 학교로 갔다. 그날 하루 종일 나는 이상한 공허감 같은 것에 시달렸다. 방과 후 나는 곧장 집으로 돌아와 문을 따고 집 안으로 들어갔다.

"엄마, 저 왔어요."

아무 대답도 없었다. 집이 매우 춥고 텅 빈 것처럼 느껴졌다. 난 겁이 났다. 떨리기까지 했다. 나는 층계를 올라가 부모님이 쓰시는 방으로 갔다. 방문이 열려 있었는데, 약간만 열려 있어서 안이 다 들여다보이진 않았다.

"엄마?"

나는 방안 전체를 볼 수 있도록 문을 활짝 열었다. 침대 옆 바닥에 어머니가 누워 계셨다. 난 어머니를 깨우려고 시도했지만 어머니는 일어나지 않으셨다. 그제서야 난 어머니가 돌아가셨다는 걸 알았다. 나는 몸을 돌려 그 방을 뛰쳐나갔다. 그리고 아래층으로 내려왔다. 나는 거실 쇼파에 망연히 앉아 있었다. 한참 뒤 누나가 집에 왔다. 누나는 내가 그곳에 앉아 있는 걸 보더니 번개같이 층계를 뛰어올라갔다.

나는 거실에 앉아서 아버지가 경찰에 전화를 거는 것을 지켜보았다. 그리고 구급차가 와서 엄마가 들것에 실려 나가는 걸 전부 지켜보았다. 내가 할 수 있는 것이라곤 망연히 앉아서 지켜보는 일뿐이었다. 난 그때까지 한번도 아버지를 노인으로 생각한 적이 없었다. 하지만 그날 내가 봤을 때 아버지는 어느 때보다도 늙어 보였다.

1973년 5월 29일 화요일. 그날은 내 열두번째 생일이었다. 축하 노래, 축하 파티, 축하 케이크 같은 것은 없었다. 침묵뿐이었다. 우리는 저녁 식탁에 둘러앉아 음식을 바라보며 멍하니 앉아 있기만 했다. 모두 내 잘못이었다. 만일 내가 조금만 일찍 집에 왔더라도 어머니는 돌아가시지 않았을 것이다. 만일 내가 조금만 더 나이를 먹었더라도 어머니는 아직 살아 계셨을 것이다. 만일 내가…… .

여러 해 동안 나는 어머니의 죽음에 대한 죄책감을 안고 살아 왔다. 내가 했어야만 한다고 생각되는 온갖 일들이 계속 내 생각을 떠나지 않았다. 그리고 내가 어머니에게 했던 모든 나쁜 말과 행동들이 나를 괴롭혔다. 내가 말썽꾸러기 자식이었기 때문에 신이 벌을 주기 위해 내게서 어머니를 데려간 것이라고 나는 믿었다. 나를 가장 괴롭힌 것은 내가 어머니에게 작별인사를 말할 기회조차 갖지 못했다는 것이었다. 나는 다시는 어머니의 따뜻한 포옹을 받아볼 수가 없었다. 어머니만의 그 감미로운 냄새를 맡을 수 없었다. 어머니가 밤에 내게 다가와 해 주던 그 부드러운 입맞춤을 다시는 느낄 수 없었다. 이 모든 것들을 나로부터 앗아간 것은 내게는 큰 형벌이었다.

1989년 5월 29일은 내 스물일곱번째 생일이었다. 나는 심한 외로움과 공허감에 사로잡혔다. 나는 그때까지도 어머니의 죽음이 가져다 준 충격에서 벗어나지 못하고 있었다. 난 극도로 감정이 혼란돼 있었다. 신에 대한 내 분노는 극에 달했다. 나는 울면서 신을 향해 소리쳤다.

"도대체 왜 내게서 엄마를 빼앗아 갔죠? 당신은 엄마에게 마지막 작별 인사를 할 기회조차 주지 않았어요. 난 엄마를 사랑했는데 당신이 그 사랑을 내게서 앗아갔어요. 난 다만 엄마의 목소리를 한 번만 더 듣고 싶었다구요. 정말 당신을 증오해요!"

나는 흐느껴 울면서 거실 바닥에 주저앉아 있었다. 눈물까지 다 말라 버렸을 때 갑자기 어떤 따뜻한 느낌이 내게로 다가왔다. 나는 어떤 보이지 않는 두 팔이 부드럽게 내 몸을 껴안는 것을 느꼈다. 그리고 거실 전체에서 오랫동안 잊고 있던, 하지만 내게 익숙한 향기를 맡을 수 있었다. 어머니였다. 어머니의 존재가 확연히 느껴졌다. 어머니의 감촉이 느껴지고, 어머니의 향기가 맡아졌다. 내가 증오한 신이 내 소원을 받아준 것이다. 내가 필요로 할 때 어머니가 내게로 오신 것이다.

오늘 나는 안다. 어머니가 항상 나와 함께 계시다는 것을. 나는 아직도 온 마음을 다해 어머니를 사랑한다. 그리고 나는 안다. 어머니가 언제나 그곳에 나와 함께 있어 주시리라는 것을. 어머니가 영원히 떠나갔다고 믿고 포기했을 때 어머니는 내게 당신의 사랑이 결코 나를 떠나지 않는다는 것을 알게 하셨다.

스탠리 *D. 몰슨*

책을 만들고 나서

우리가 느끼는 가장 큰 보람은 이 책이 불행한 환경에 놓여 있는 많은 사람들의 삶에 용기와 힘이 되어 주고 있다는 사실이다. 가난한 사람, 집 없는 사람, 감옥에 갇힌 사람들이 이 책을 읽고서 많은 변화를 체험하고 있다. 여기 매사추세츠의 빌러리카 감호소에 수감중인 한 남자가 보낸 편지가 그것을 잘 말해 준다.

열흘 동안의 교정 교육 프로그램에 참여했다가 『마음을 열어주는 101가지 이야기』를 만났습니다. 책을 읽은 뒤 나는 함께 수감된 다른 죄수들을 완전히 다른 시각으로 대하게 되었습니다. 나는 어느 누구에 대해서도 더 이상 폭력이나 증오를 느끼지 않게 되었습니다. 내 영혼은 이 아름다운 이야기들로부터 큰 도움을 받았습니다. 뭐라고 감사드려야 할지 모르겠군요.

필 S.

어느 십대 소녀는 이런 편지를 보내 왔다.

이제 막 『마음을 열어주는 101가지 이야기』를 다 읽었어

232

요. 책을 덮고 나니 나는 이제 어떤 것이라도 할 수 있을 것 같은 느낌이 들었습니다.

나는 그동안 내 꿈들 중의 많은 부분을 포기했었거든요. 세계 일주를 한다거나 대학에 간다거나 결혼을 해서 아이를 낳는다거나…… . 하지만 이 책을 읽은 뒤 나는 내가 원하는 모든 것을 할 수 있을 것 같은 용기를 갖게 되었어요. 감사드려요!

에리카 린 P. (15세)

우리는 이 책을 읽으신 독자께서 학교와 병원, 양로원, 교도소 등에 이 책을 소개하고 직접 보내 주시기를 희망한다. 또한 당신이 앞으로 나올 새로운 책에 넣고 싶은 이야기가 있으면 언제라도 보내 주시기를 바란다. 신문, 잡지, 교회나 회사의 사보에서 발견한 내용이라도 좋고 시와 인용문도 좋다. 우리는 당신이 보내 준 삶의 아름다움과 희망으로 채워진 글들을 갖고 다음 번 책을 열심히 만들 것이다.

Jack Canfield and Mark Victor Hansen
The Canfield Training Group
6035 Bristol Parkway
Culver City, CA 90230
FAX : 310-337-7465

엮은이들에 대해

잭 캔필드와 마크 빅터 한센은 미국 전역을 대표하는 카운셀러이고 저술가이며 세미나 강사들이다. 평생을 인간의 가능성 개발과 행복한 삶을 향한 동기 부여에 바쳐 왔다. 정기적으로 〈굿모닝 아메리카〉, 〈20/20〉, 〈NBC 나이트 뉴스〉 등의 텔레비전 프로에 출연하고 있으며, 매년 1백여 곳이 넘는 그룹들을 대상으로 강연을 하고 있다. 그들의 강연을 정기적으로 듣는 회사는 〈미국 경영자 협회〉, 〈AT&T 전기회사〉, 〈캠벨 수프〉, 〈도미노 피자〉, 〈클레어롤〉, 〈G.E.〉, 〈ITT 하트포드 보험회사〉, 〈존슨 앤 존슨〉, 〈NCR〉, 〈뉴잉글랜드 전화회사〉, 〈선키스트〉, 〈버진 레코드사〉 등 유명 회사들이다. 그들이 여러 권의 시리즈로 펴낸 『마음을 열어주는 101가지 이야기(원제: *Chicken Soup for the Soul*)』는 출간 1년 만에 1백만 부가 넘게 판매되고 〈뉴욕 타임스〉 베스트셀러에 장기간 올라 있다.

잭 캔필드의 연락처는 앞 페이지에 적힌 대로이고, 마크 빅터 한센의 연락처는 다음과 같다.

M.V. Hansen and Associates, Inc.

P.O. Box 7665 Newport Beach, CA 92658-7665

TEL 1-800-237-8336, 1-714-759-9304

책을 번역하고 나서

당신을 위해 이 책을 번역했습니다.
내일 태양이 뜰 텐데 비가 올거라고 걱정하는 당신에게,
행복과 불행의 양이 같다는 것을 알지 못하고
아직 슬픔에 젖어 있는 당신에게,
늙기도 전에 꿈을 내던지려고 하는 당신에게,
또한 세상은 꿈꾸는 자의 것이라는 진리를
아직 외면하고 있는 당신에게
이 책을 바칩니다.
당신은 상처받기를 두려워할 만큼
아직 늙지 않았습니다.
멀리뛰기를 못할 만큼 다리가 허약하지도 않습니다.
우산과 비옷으로 자신을 가려야 할 만큼
외롭거나 비관적이지도 않습니다.
또 무엇보다도 당신의 눈은 별을 바라보지 못할 만큼
시력이 나쁘지도 않습니다.
당신에게 필요한 일은 단 한 가지,
마음을 바꾸는 일입니다.
마음을 바꾸면 인생이 바뀐다는 평범한 진리를

다시 한번 옛 노트에 적어 보는 일입니다.
당신이 한때 가졌던,
그리고 아직도 당신 가슴 속에서 작은 불씨로 남아 있는
그 꿈을 실현하는 일입니다.
한쪽 문이 닫히면 언제나 다른쪽 문이 열리지요.
문이 닫혔다고 절망하는 당신에게
다른쪽 문을 찾아보기를 두려워하는 당신에게
이 책을 바칩니다. 앙드레 지드가 말했습니다.
"지상에서 아무것에도 집착하지 않고
부단히 변화하는 것들 사이로
영원한 열정을 몰아가는 자는 행복하여라."
당신을 위해 이 책을 번역했습니다.
당신이 이 책의 주인공이기를 기원합니다.
삶은 때로 낯설고 이상한 것이긴 하지만
신은 목적을 갖고 당신을 이곳에 있게 했습니다.
그 목적을 외면한다면 당신은
외롭고 고립될 수밖에 없습니다.
자신에게 주어진 배움을 충분히 실현할 만큼
당신은 이미 완전한 존재입니다.
당신이 삶을 창조합니다.
다른 누구도 당신을 대신할 수 없습니다.
불면의 밤을 깨치고
자기 자신과 대면하기 위해 길 떠나는 당신에게,
경험하기 위해 세상에 왔음을 안 당신에게,

창조적이고 명상적인 삶을 두려워하지 않는 당신에게
이 책을 바칩니다.

류시화

마음을 열어주는 101가지 이야기 1

1판 1쇄 1996년 10월 20일

1판 62쇄 1998년 2 월 15일

엮은이 잭 캔필드· 마크 빅터 한센

옮긴이 류시화

펴낸이 고석

펴낸곳 도서출판 이레

편집 책임 김성한/ 편집 정순녀

마케팅 책임 채영진/ 허경실

본문편집 박상순 디자인실

출판등록 1995. 6. 8. 제 5-352호

주소 121-200 서울 마포구 동교동 165-1 미래프라자 빌딩 12층

전화 02)3143-2900/ 팩시밀리 02)3143-2904

ISBN 89-85599-06-2   03840